MON PROGRAMME
ANTI-DÉPRESSION

Ouvrage publié sous la direction de Catherine Meyer.

L'Iconoclaste
27, rue Jacob, 75006 Paris
Tél. : 01 42 17 47 80
iconoclaste@editions-iconoclaste.fr

Mon programme anti-dépression se prolonge sur www.editions-iconoclaste.fr

Mademoiselle Caroline
Christophe André

MON PROGRAMME
ANTI-DÉPRESSION

L'ICONOCLASTE

Pourquoi ce livre ?

Alors que je croyais avoir tout compris à la vie,
à mon anxiété, à mes dépressions, alors que je croyais
fermement avoir les solutions pour combattre le Mal,
j'ai été fauchée comme une bleue
par une 4ᵉ chute libre en octobre 2015.

Une belle, une vraie, une grosse.

Une de celles qui vous flanquent par terre
en deux jours.

Sous la terre.

Cette fois-ci, étant un plus expérimentée,
je ne me suis pas contentée de sombrer :
j'ai assisté consciencieusement à ma chute,
sans pouvoir la contrecarrer.

Je ne pouvais rien faire d'autre que me débattre
dans des ruminations que je savais inutiles.
J'en étais tout à fait consciente, mais mon esprit ne fonctionnait
plus qu'en roue libre, totalement incontrôlable.

Malgré la tentation facile d'en finir radicalement,
j'ai réussi à remonter la pente une nouvelle fois.

Cela a été très rapide :
15 jours à peine avant de respirer à nouveau, de remanger...

Pourquoi ? Comment ?

Grâce à mon psy qui a répondu présent une nouvelle fois :
tous les soirs à la même heure, il me téléphonait
et me donnait des exercices à faire.
Cela me portait, je savais que si je tenais jusqu'au prochain
coup de fil, je pouvais repartir pour un tour.

Alors je faisais ces exercices bêtement, SANS RÉFLÉCHIR,
(de toute façon, je ne réfléchissais plus correctement)
et petit à petit, je me suis apaisée, et j'ai fini par attendre
ces moments de paix avec moi-même.

J'ai appris le pouvoir de la répétition, appris à décoder les pièges que peut
lancer le cerveau, à noter et écrire mes journées, à éviter de céder à la tentation
de commencer à ruminer pour un rien…

C'est pour cela que j'ai eu envie de faire ce carnet,
semblable à celui que je tenais alors, tant bien que mal.

Ces petits efforts quotidiens m'ont tellement aidée
qu'ils fonctionneront aussi pour vous, j'en suis sûre.

PETIT MODE D'EMPLOI

Ce carnet est une boîte à outils, une méthode que j'ai élaborée pour cesser de tomber plus bas quand tout va mal et pour remonter la pente, jour après jour. Fondée sur des exercices très simples, elle permet de briser le cercle infernal des ruminations et des pensées négatives automatiques. Mais pour cela, il va falloir que vous participiez, que vous vous munissiez d'un crayon et que vous soyez prêt ou prête à vous laisser guider.

QUE TROUVEREZ-VOUS DANS CES PAGES ?

Pendant vingt-huit jours, c'est-à-dire quatre semaines, ce carnet va vous accompagner et vous aider à retrouver la paix intérieure.

Chaque journée est divisée en trois parties :

1. Vous commencez par faire le point, par observer et noter vos états d'âme du jour, par décrire comment vous vous sentez… Vous donnez même une note à la journée.

2. Après avoir lu l'éclairage de Christophe André qui vous distille quelques explications scientifiques et conseils bienveillants, vous découvrez un exercice à faire dans la foulée, puis un petit devoir à effectuer le long de la journée.

3. Vous terminez cette journée par une double page plus ludique et plus créative, mais tout aussi utile : il s'agit d'une activité qui vous demande de vous CON-CEN-TRER et donc de débrancher le pilote automatique qui vous ramène inlassablement vers vos ruminations. Vivre l'instant présent sera l'une des clés de notre démarche !

QUE FAUT-IL FAIRE CONCRÈTEMENT ?

Tous les jours, de préférence à la même heure, comme une espèce de rituel, ouvrez votre carnet et laissez-vous guider. Remplissez, gribouillez, répondez, coloriez, jouez, faites les exercices que l'on vous demande, et observez... Ce carnet est votre défouloir, la trace visible de la maladie dans votre vie, votre refuge au milieu de la tempête. Très vite, vous aurez besoin de ce rendez-vous avec vous-même, vous vous surprendrez même à l'attendre.

L'AVIS DU PSY ?

J'ai eu un jour, par un heureux concours de circonstances, la chance de rencontrer Christophe André et de pouvoir lui exposer mon problème : comment aller mieux ?

Il m'a conseillé de travailler non loin de chez moi, avec l'homme providentiel, celui qui allait me sortir la tête du gouffre, le docteur Charly Cungi.

Tous les deux ont la même approche, et j'ai découvert tout un arsenal de petites techniques apparemment déconcertantes, telles que les « crises de calme » ou la pleine conscience, qui pourtant fonctionnent à merveille et m'ont aidée à remonter la pente.

Pas un jour depuis sans que je ne les mette en application, plus ou moins fidèlement, selon l'humeur du jour, mais avec toujours la même efficacité.

Je vous livre ici mon expérience, avec la complicité de Christophe André et la bienveillance de Charly Cungi, en espérant que nous vous serons utiles.

SEMAINE ①

Stopper

« Impose ta chance
serre ton bonheur,
et va vers ton risque.
À te regarder,
ils s'habitueront. »

RENÉ CHAR

JOUR 1

Comment allez-vous aujourd'hui ?

/10

NOTEZ VOTRE HUMEUR SUR 10

Stopper la chute

Vous êtes au fond du trou. Vous ne voyez pas d'avenir, ou alors à peine un futur tout moche, tout pourri.

Vous pensez ne pas pouvoir vous en sortir.

Ça tourne en rond à toute vitesse dans votre pauvre caboche.

La moindre question est un problème, évidemment insoluble et éternel, qui, même s'il était résolu, serait remplacé illico par un autre problème, lui-même sans solution, tout comme le nouveau problème qui pointe déjà le bout de son nez.

Mais ce n'est pas grave, vous continuez de vous débattre pour essayer de trouver quand même une solution. On ne sait jamais…

« Quiconque a déjà été tourmenté par des accès prolongés d'anxiété ne peut douter de son pouvoir de paralyser l'action, d'inciter à fuir, d'éradiquer tout plaisir et de faire dérailler la pensée vers le catastrophisme. Aucun d'eux ne niera le caractère terriblement dou- loureux d'une telle expé- rience. L'épreuve de l'anxiété chronique ou intense est avant tout une confrontation profonde et insaisissable avec la douleur. » BARRY E. WOLFE

JOUR 1

Les conseils de Christophe André

Faire des (petits) efforts

DEUX BONNES NOUVELLES

La première, c'est que vous allez vous remettre, vous allez guérir : on guérit toujours d'une dépression. Évidemment, le plus tôt est le mieux.

La seconde, c'est que vous pouvez participer à votre guérison, faire en sorte qu'elle survienne plus vite, ou que la dépression soit moins intense. Pour cela, de petits efforts sont utiles, des petits exercices à mettre en place chaque jour, comme ceux proposés par Caroline dans ce livre.

DES PETITS EFFORTS QUOTIDIENS

Les efforts qui vous sont suggérés sont simples, mais ce ne sera pas facile tous les jours.

Pour deux raisons :

D'abord parce que, lorsqu'on est déprimé, on perd l'envie d'agir : on se persuade que tout ce qu'on tente ne servira à rien et sera dérisoire par rapport à tout ce qu'il y aurait à faire.

Ensuite, parce que même si on fait les exercices, ça ne va pas forcément nous être bénéfique tout de suite : la dépression est une maladie qui diminue en nous à la fois le désir (l'envie de faire des choses) et le plaisir (la satisfaction des choses faites).

Là, vous devez faire confiance à Caroline et aux études sur la dépression qui montrent que faire régulièrement tous ces petits efforts, ça marche. Tout simplement.

CE QUE JE ME DIS PAR RAPPORT À L'IDÉE DE FAIRE DES EFFORTS QUAND...

JE NE SUIS PAS DÉPRIMÉ	JE SUIS DÉPRIMÉ	JE SUIS DÉPRIMÉ MAIS JE ME SOIGNE
Je suis capable de faire plein de choses, même des trucs difficiles ou compliqués.	Je me sens incapable d'agir, même pour faire des choses simples.	J'accepte de me sentir diminué : ça ne me réjouit pas, mais c'est comme ça pour le moment.
J'ai souvent envie de bouger, de faire des choses.	Je n'ai envie de rien.	Je sais que le manque d'envie est un symptôme de la dépression. Alors je fais des choses, même si je n'en ai pas envie.
Quand j'ai fait ce que j'avais à faire, je me sens mieux, ça me fait plaisir, je suis soulagé ou même content de moi.	Même quand je me force à agir, je ne ressens aucun plaisir à l'avoir fait.	Quand on est déprimé, on ne ressent presque plus de plaisir. Donc, je ne serai pas récompensé de mes efforts. Pourtant, ça me fera peu à peu du bien, de manière invisible...
Allez, je me bouge...	Je crois que je vais rester au lit...	Je me bouge un peu avant de me reposer...

JOUR 1

VOS TRAVAUX PRATIQUES

COMMENT VOUS VOUS SENTEZ MAINTENANT ?

. . . .

. . . .

. . . .

. . . .

. . . .

. . . .

. . . .

EXERCICE DU JOUR : LA TECHNIQUE DU LEURRE

(5MIN, À RÉPÉTER DÈS QUE NÉCESSAIRE)

Nous allons tromper notre esprit (il nous trompe suffisamment lui-même !) et l'empêcher de procéder à l'une de ses activités préférées : la rumination. Comme il ne peut gérer qu'une émotion à la fois (quand on est en colère, on ne peut pas être calme en même temps, par exemple), on va détourner son attention. C'est un tout petit exercice, façon mantra, qui fonctionne très bien.

1. Asseyez-vous en tailleur sur un coussin ou sur une chaise, les mains sur les genoux, le dos droit mais pas raide.

2. Fermez les yeux et respirez naturellement, calmement, en focalisant votre attention sur la région du cœur.

3. Trouvez un mot ou une phrase qui vous fait du bien (dans mon cas, c'était « montagne ») et répétez-le (les) en le (les) visualisant, en l' (les) imaginant, à voix haute ou dans votre

tête. Vous pouvez caler la répétition du mot sur votre souffle, par exemple en le prononçant sur chaque expiration.
Cela semble un peu artificiel, mais c'est très efficace, essayez !

NOTEZ CE QUE VOUS POUVEZ TIRER COMME BÉNÉFICE DE CET EXERCICE :

. . . .
. . . .
. . . .
. . . .
. . . .
. . . .
. . . .
. . . .

DEVOIR DU JOUR

Sortez, même si vous mourez d'envie
de rester enfermé, et marchez 10 minutes – au grand air,
si vous avez la chance de vivre à la campagne,
ou, si vous habitez en ville, près d'un parc, dans une rue calme.
La marche est un formidable antirumination
qui vous reconnecte à votre corps. Ouvrez-vous aux
sensations de la marche : vos pieds qui foulent le sol, vos bras,
l'air qui entre dans vos poumons, les mille et une choses
qui se présentent à vos yeux.

EMPÊCHONS-NOUS DE TOURNER EN ROND
Bloquez vos pensées en vous concentrant sur une tâche simple : colorier les mots sortant de la tête du personnage ci-contre.

JOUR 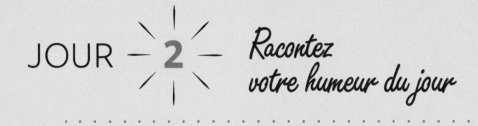 2 Racontez votre humeur du jour

/10

NOTEZ VOTRE
HUMEUR
SUR 10

Stopper la spirale infernale

2

Il faut arrêter la spirale :

« J'ai tellement envie de rester repliée sur moi-même... mais si je reste repliée sur moi-même, rien ne bougera, rien n'évoluera... Oui, mais j'ai tellement envie de rester repliée sur moi-même... si je reste repliée, rien ne bougera, rien n'évoluera... Oui, mais j'ai tellement envie de rester repliée sur moi-même... et si je reste repliée, rien ne bougera, rien n'évoluera... »

Le sentiment de n'exercer aucun contrôle sur sa vie peut mener à l'anxiété et/ou à la dépression s'il est mal géré.

Et, *a priori*, vous le gérez mal, sinon vous n'auriez pas ce livre entre les mains...

En tout cas, quand j'étais à votre place, je ne gérais plus rien du tout.

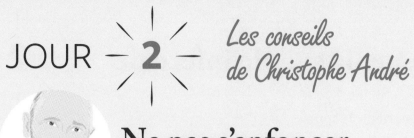

JOUR 2

Les conseils de Christophe André

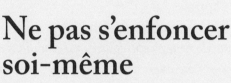

Ne pas s'enfoncer soi-même

Chez les animaux, on observe aussi des équivalents d'états dépressifs, par exemple chez les mamans qui perdent un petit, ou chez les mâles dominants détrônés par un petit jeune plus costaud. Mais leur dépression dure beaucoup moins longtemps que chez nous, les humains, notamment parce qu'ils ne l'aggravent pas eux-mêmes !

COMMENT ON ENTRETIENT SA PROPRE DÉPRESSION

Aggraver notre dépression, même sans le vouloir, nous savons très bien faire cela. C'est la spirale infernale, ou le cercle vicieux de la dépression.

Voici le scénario : je me sens incapable de faire face à la vie comme d'habitude. Alors je commence à m'affoler et à me critiquer. Ça me déprime et m'angoisse encore plus, donc je me sens encore plus incapable. Comme je ressens aussi une fatigue anormale, j'ai tendance à trop me reposer ; mais plus je me repose, plus je me sens ramolli et fatigué. Etc.

Peu à peu, ces nœuds coulants se mettent en place et m'étouffent. C'est pour cela qu'on dit parfois que la dépression est une maladie « auto-entretenue » : on peut, par maladresse plus que par envie, évidemment, l'entretenir et la faire durer.

2

QUE FAIRE ?

Pour casser cette spirale infernale, on peut agir sur ses comportements (se bouger), son corps (se faire du bien) et ses pensées (lutter contre ses ruminations). Les trois sont très importants mais, au début, c'est un peu plus facile de se bouger et de se faire du bien que de moins ruminer.

EXEMPLE DE SPIRALE INFERNALE ET DE PENSÉES POUR LUTTER :

CE QUI ME VIENT SPONTANÉMENT	MES EFFORTS POUR SORTIR DE LA SPIRALE
Je me sens tout le temps épuisé, mal dans ma peau (état du corps).	Normal, c'est un des symptômes de la dépression.
Je vais annuler le dîner de ce soir et rester sur le canapé regarder des séries (comportement inadapté).	Non, ne tombe pas dans le piège, accepte la sortie ; ou alors, fais un truc concret : sors marcher, passe un coup de téléphone, range une étagère de ton placard...
Je suis nul de faire ça, ce n'est pas comme ça que je vais m'en sortir... (pensées négatives et début de rumination).	Tu n'es pas nul, tu es déprimé.
Ça m'angoisse horriblement, je ne vois pas de solution à cet état, et si j'étais incurable ? (pensées et émotions négatives, et autre option de rumination).	Tu n'es pas incurable, c'est juste que la dépression peut parfois recommencer.
Je me sens de plus en plus mal dans ma peau (état du corps).	La dépression, ce n'est pas que dans la tête, c'est aussi dans le corps ; quand tu seras guéri, tout ça disparaîtra.
Non, vraiment, je ne peux rien faire d'autre que rester allongé comme ça, dans le noir (comportement inadapté).	Tu as besoin de te reposer, mais aussi de garder un minimum d'activités ; allez, relève-toi, fais deux ou trois trucs...

JOUR 2 VOS TRAVAUX PRATIQUES

NOTEZ COMMENT VOUS VOUS SENTEZ MAINTENANT :

. . . .
. . . .
. . . .
. . . .
. . . .
. . . .
. . . .

EXERCICE DU JOUR : LA CRISE DE CALME

(5MIN, À RÉPÉTER TOUT AU LONG DE LA JOURNÉE)

1. Assis ou allongé, vous fermez les yeux et vous videz doucement l'air de vos poumons.

2. Reprenez un peu d'air, marquez un arrêt, et expirez à nouveau, sans forcer, tranquillement.

3. Pendant tout l'exercice, vous portez votre attention sur votre poitrine, en observant ce petit moment de pause entre la fin de l'expiration et le début de l'inspiration. Ne forcez pas, laissez faire votre souffle, accompagnez-le. Au bout d'un moment, un rythme de respiration confortable s'établira tout seul.

4. Quand vous êtes relaxé/calmé, pensez à quelque chose d'agréable (un objet ou une personne) tout en continuant à respirer calmement.

5. Doucement, quand vous estimerez le moment venu, ouvrez les yeux, le plus lentement possible.

NOTEZ CE QUE VOUS POUVEZ TIRER COMME BÉNÉFICE DE CET EXERCICE :

. . . .
. . . .
. . . .
. . . .
. . . .
. . . .
. . . .
. . . .
. . . .
. . . .
. . . .
. . . .

DEVOIR DU JOUR

Essayez de trouver un aliment
qui vous fait habituellement envie (un fruit,
un morceau de fromage, un carré de chocolat).
Examinez-le sous toutes les coutures, sentez-le.
Puis mangez-le lentement, petite bouchée
après petite bouchée, en pleine conscience,
comme si c'était la toute première fois
que vous le goûtiez.

**DESSINEZ VOTRE
SPIRALE INFERNALE**
Écrivez vos ruminations
sur les pointillés orange,
ne vous freinez pas,
il n'y a aucune limite
ni aucun jugement.

JOUR ☀ 3 ☀ Comment allez-vous aujourd'hui ?

/10
NOTEZ VOTRE
HUMEUR
SUR 10

Stopper les ruminations

C'est ce qu'il y a de pire : tout là-haut, dans votre cerveau malade, ça tourne dans tous les sens...

Vous ruminez. Vous imaginez que vous réfléchissez, mais ça ne mène à rien, ça ne va nulle part. Vous vous focalisez sur les causes et les conséquences de problèmes plus ou moins imaginaires, vous ne faites que ça, et plus vous faites ça, plus ces pensées nocives croissent. Vous imaginez réfléchir à une solution, mais vous n'en trouvez pas.

Normal, vous n'allez pas au bout de vos pensées : elles s'entrechoquent, l'une recouvre l'autre avant qu'elles ne se concrétisent, une autre vient déjà dépasser la précédente et vous vous y engouffrez... Vous revenez sans arrêt au même point. Et vous repartez de plus belle. C'est sans fin, totalement stérile et épuisant.

Et si vous êtes comme moi, vous feriez n'importe quoi pour que ça s'arrête...

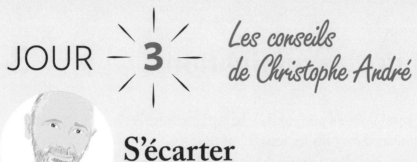

JOUR — 3 —

Les conseils de Christophe André

S'écarter des ruminations

QU'EST-CE QUE RUMINER ?

Ruminer, c'est nous focaliser, de manière répétée, circulaire, stérile, sur nos problèmes, leurs causes, leurs significations, leurs conséquences. On n'avance pas d'un pouce vers la moindre solution ni vers le moindre soulagement, mais c'est plus fort que nous, on ne peut pas empêcher notre esprit de tourner ainsi en rond.

Les ruminations sont l'un des grands facteurs aggravants de tous les états anxieux et dépressifs.

Elles présentent plusieurs inconvénients :

> elles consomment beaucoup de temps et d'énergie psychologique (qui seraient mieux occupés à se reposer ou à chercher des solutions au problème) ;
> elles provoquent un sentiment d'impuissance à agir ;
> elles étalent les soucis dans le temps (au lieu d'y réfléchir, de voir que faire, puis de passer à autre chose, on reste englué).

3

LES TROIS QUESTIONS À SE POSER

Ruminer, ce n'est pas réfléchir, c'est penser en rond : comme marcher en rond, on se fatigue et on ne va nulle part.

Pour savoir si vous êtes en train de ruminer ou de réfléchir, c'est simple, posez-vous ces trois questions :

« Depuis que je suis en train de penser à mes soucis :
1. est-ce que j'ai avancé vers une solution ?
2. est-ce que j'y vois un peu plus clair ?
3. est-ce que je me sens mieux ? »

Si vous répondez « non » aux trois questions, c'est que vous êtes en train de commencer à ruminer.

Dans ce cas, levez-vous, allez marcher 10 minutes, ou faites quelque chose de simple et de concret.

Bouger son corps permet d'éviter les ruminations mieux que toutes les stratégies mentales (se raisonner, se critiquer…).

JOUR ⚬ 3 ⚬ VOS TRAVAUX PRATIQUES

NOTEZ COMMENT VOUS VOUS SENTEZ MAINTENANT :

. . . .
. . . .
. . . .
. . . .
. . . .

EXERCICE DU JOUR : APPRENDRE À RESPIRER

(10 MIN, CE MATIN ET CE SOIR)

1. Asseyez-vous confortablement en tailleur sur un coussin ou sur une chaise, les mains reposant sur les genoux. Votre dos est droit et souple. Vous fermez les yeux.

2. Vous prenez conscience de votre respiration, de ses mouvements (l'inspiration, l'expiration).

3. Vous essayez de repérer l'endroit où elle est la plus perceptible : dans les narines, la gorge, la poitrine, le ventre ?

4. Vous observez les allées et venues de l'air dans votre corps : quel trajet suit-il ? Est-il chaud, froid ?

5. Imaginez que l'air passe au travers de votre corps : il entre par le nez et, quand vous expirez, il sort par les pieds ; ou un truc dans ce genre, comme vous le ressentez vous !

6. Vous laissez maintenant votre souffle vivre sa vie tout seul, sans chercher à le modifier. Contentez-vous de l'observer.

7. Si vous partez dans vos pensées, ce n'est pas grave, c'est même normal : revenez à votre souffle dès que vous vous en apercevez... c'est le début de la pleine conscience !

3

NOTEZ CE QUE VOUS POUVEZ TIRER COMME BÉNÉFICE DE CET EXERCICE :

. . . .
. . . .
. . . .
. . . .
. . . .
. . . .
. . . .
. . . .
. . . .
. . . .
. . . .
. . . .
. . . .
. . . .

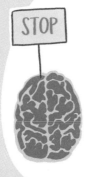

LE DEVOIR DU JOUR

Sortez et marchez 15 minutes au grand air. Oui, je sais, c'est une obsession, mais les études des scientifiques sont formelles et Christophe aussi : la marche est un antidépresseur naturel qui stimule même la fabrication des neurones, notamment dans l'hippocampe, une aire du cerveau justement ralentie chez les personnes dépressives.

DÉPART

**TROUVEZ
LE CHEMIN**
Trouvez la voix
de la sérénité
dans ce
labyrinthe...

ARRIVÉE

SÉRÉNITÉ

JOUR 4

Racontez votre humeur du jour

. . . .
. . . .
. . . .
. . . .
. . . .
. . . .
. . . .
. . . .
. . . .
. . . .
. . . .
. . . .
. . . .
. . . .
. . . .
. . . .
. . . .
. . . .

/10

NOTEZ VOTRE
HUMEUR
SUR 10

Stopper le stress

Il y a des hauts et des bas. C'est normal.
Pour moi, il y avait clairement un jour avec, un jour sans, un jour avec, un jour sans...

Et aujourd'hui, vous êtes en haut ou en bas ?

Angoissé ou anxieux ?

Angoisse : malaise intense, corps et esprit, qui n'est suscité par aucun danger concret ou réel.

Anxiété : sentiment d'inquiétude, nervosité ou inconfort, typiquement causé par un événement aux conséquences incertaines.

On s'en fiche.

On continue, on reprogramme le cerveau, on ne lâche rien.

Vous ne vous en rendez pas compte mais, grâce à nos exercices, votre cerveau prend déjà goût à ces petits moments de refuge et de repos.

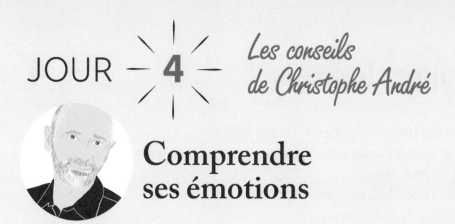

JOUR — 4 — Les conseils de Christophe André

Comprendre ses émotions

Ça va pas, donc je stresse parce que ça va pas, et je ne vais jamais atteindre mes objectifs.

LE STRESS ET LES PERTURBATIONS ÉMOTIONNELLES

La dépression, ce n'est pas seulement une tristesse excessive et maladive : toutes les émotions sont perturbées. Parfois, on est anormalement triste et fatigué ; à d'autres moments, on est surtout angoissé, oppressé ; ou bien énervé et en colère contre soi-même, ses proches ou la terre entière ; ou encore culpabilisé et dévoré par les regrets, les remords, la honte, etc.

Les spécialistes parlent de «dérégulation émotionnelle» pour décrire ces perturbations. Les émotions douloureuses peuvent parfois sembler sorties de nulle part. Mais assez fréquemment, elles se déclenchent en réaction à des situations, souvent banales : une difficulté, une contrariété, et on peut être débordé par le désespoir, la colère, la panique. Quand on est déprimé, on est hyper réactif à la moindre petite source de stress ; on se sent fragile et vulnérable, tout contretemps peut devenir une montagne et donner des envies passagères de suicide.

4

CONSEILS PRATIQUES

Il faut le savoir, et ne pas s'en inquiéter. Vous n'êtes pas en train de devenir fou, et tout cela rentrera dans l'ordre.

En attendant, de votre mieux, essayez de vous organiser pour être moins exposé que d'habitude aux soucis quotidiens.

Prévenez aussi vos proches.

Et chaque fois que vous sentez que ça monte, commencez par respirer quelques minutes, en vous rappelant que ce n'est ni vous qui êtes lamentable, ni la vie qui est détestable, mais la dépression qui est comme ça, pénible…

EXEMPLES DE STRESSEURS QUOTIDIENS POUVANT DÉCLENCHER DES ÉMOTIONS DISPROPORTIONNÉES :

> **Les relations aux autres :** conflits avec votre conjoint ou des proches, remarques, conversations à assurer lors d'une soirée, pleurs ou caprices des enfants…

> **Les tâches domestiques :** courses, ménage, cuisine, bricolage, objets en panne, paperasses administratives…

> **La vie :** perdre un objet, le casser, être en retard, rater un métro, un bus, un avion, un train…

> **Le travail :** les délais, la pression qu'on supportait habituellement, les réunions interminables, les critiques sur votre travail…

JOUR 4 VOS TRAVAUX PRATIQUES

NOTEZ COMMENT VOUS VOUS SENTEZ MAINTENANT :

EXERCICE DU JOUR : PRENDRE CONSCIENCE DE SON CORPS

(10 MIN, CE MATIN ET CE SOIR)

1. Asseyez-vous en tailleur sur un coussin ou sur une chaise. Vous pouvez aussi vous allonger sur un tapis, les bras le long du corps. Vous fermez les yeux.

2. Vous prenez conscience du va-et-vient de votre respiration, de ses mouvements (inspiration, expiration), de l'endroit où le souffle est évident.

3. Puis vous allez passer chaque partie de votre corps à la lumière de votre attention, comme un petit scan personnel : votre position générale, votre dos en contact avec le tapis, vos épaules, vos bras, vos mains, vos doigts. Vous descendez progressivement : votre bassin, vos cuisses, vos mollets, vos pieds. En prenant soin de ressentir toutes les parties de votre corps. Votre tête, votre visage, votre front...

4. Si pendant l'exercice vous ressentez une douleur ou un inconfort, avant de bouger, prenez le temps de décortiquer cette gêne, essayez de respirer à cet endroit, ne bougez pas par réflexe ou habitude, mais parce que vous avez décidé de bouger.

5. Bon, encore trois respirations, une, deux, trois, et vous pouvez ouvrir les yeux.

NOTEZ CE QUE VOUS POUVEZ TIRER COMME BÉNÉFICE DE CET EXERCICE :

LE DEVOIR DU JOUR

Essayez de repérer tous les moments
où vous avez la mâchoire crispée, genre un check-up rapide
pour vérifier que vos lèvres ne sont pas pincées, ni vos
dents serrées, ou votre langue vrillée contre votre palais.
Entrouvrez alors légèrement les lèvres :
ça desserre automatiquement l'étau, votre visage
se détend, et avec lui tout votre corps.
Peut-être aussi la petite voix qui était en train
de vous stresser à l'intérieur !

UN PEU D'AMOUR
Coloriez TOUS les petits
cœurs de ce dessin ...
chaque cœur colorié
apportera un peu plus
de joie dans votre vie.

JOUR  Comment allez-vous aujourd'hui ?

/10
NOTEZ VOTRE
HUMEUR
SUR 10

Stopper d'imaginer que vous êtes le seul à qui ça arrive

Ne vous débattez pas, patientez, lâchez prise, à tête reposée, tout est plus clair... Tombez le masque. Parlez de votre mal-être, n'ayez pas honte, cela soulage énormément. Choisissez votre oreille confidente pour pouvoir parler sans crainte. N'ayez pas peur du jugement, rappelez-vous que vous êtes malade, est-ce qu'on juge un malade ? Lisez ce qu'en disait un écrivain expert du mal-être.

« Nous sommes tous dans le caniveau, mais certains d'entre nous regardent les étoiles. » OSCAR WILDE

JOUR — 5 — *Les conseils de Christophe André*

Ne plus se sentir seul à déprimer

Évidemment, tout le monde va bien… sauf nous. Tout le monde est fort sauf nous…

MAIS NON, vous n'êtes pas tout seul dans votre cas !

À SAVOIR…

Ce n'est peut-être pas une consolation mais, selon les études, on considère qu'à un moment donné environ 10 % des personnes en population générale souffrent de troubles dépressifs, quels qu'ils soient (dépression sévère ou modérée, dépression bipolaire, etc.). Et qu'environ 20 % des personnes feront une expérience dépressive un jour ou l'autre dans leur vie.

Cela fait donc beaucoup de monde. Regardez autour de vous dans les lieux publics : 1 personne sur 10 est en train de traverser le même genre de difficultés que vous, et une autre a déjà connu ça ou le connaîtra un jour…

ALORS, ON SE DIT QUOI ?

C'est important à savoir. Non pas pour vous dire : « Tu vois, ce n'est pas si grave, il y en a plein des comme toi, ne te plains pas, serre les dents et boucle-la. »

Mais plutôt : « Tu n'es pas tout seul, des passages dépressifs, beaucoup de gens en ont connu, et on s'en sort, donc tu t'en sortiras, voilà ! »

Pourquoi a-t-on si souvent l'impression d'être seul face à la dépression ? Parce que la plupart du temps, on la cache ! Pour ne pas gêner les autres, parce qu'on a honte, parce qu'on ne veut pas qu'on nous plaigne, parce qu'on a peur d'être moins aimé par ses proches ou moins respecté à son travail...

Du coup, chacun déprime dans son coin et se croit seul.

C'est drôle comme la dépression est encore un peu une maladie honteuse, dont on n'aime pas parler, comme le cancer. Alors que, comme le cancer aussi, elle est très fréquente et se soigne bien mieux qu'avant...

JOUR 5

VOS TRAVAUX PRATIQUES

NOTEZ COMMENT VOUS VOUS SENTEZ MAINTENANT :

EXERCICE DU JOUR : PRENDRE CONSCIENCE DES SONS

(10 MIN, CE MATIN ET CE SOIR, PEUT-ÊTRE DANS DES ENDROITS DIFFÉRENTS POUR VARIER LES PLAISIRS)

1. Asseyez-vous en tailleur sur un coussin ou sur une chaise, le dos droit et souple.

2. Vous prenez conscience du mouvement de votre respiration et de l'ensemble de votre corps ici et maintenant.

3. À présent, vous ouvrez votre attention aux sons qui vous entourent : peut-être des voix, un téléphone qui sonne, une voiture, un chien qui aboie.

4. Accueillez ces sons, même ceux qui sont désagréables, sans les juger, sans chercher à les chasser.

5. Vous verrez rapidement que ces bruits suscitent des images, des jugements ou des pensées... Revenez à votre étude des bruits, juste à elle...

6. Prenez aussi conscience des éventuels silences.

NOTEZ CE QUE VOUS POUVEZ TIRER COMME BÉNÉFICE DE CET
EXERCICE :

. . . .
. . . .
. . . .
. . . .
. . . .
. . . .
. . . .
. . . .
. . . .
. . . .

LE DEVOIR DU JOUR

Observez les personnes dans la rue, à votre travail,
ou par la fenêtre : remarquez ceux qui ont vraiment l'air
heureux, et les autres. Demandez-vous ce que vous avez
en commun avec elles. Sûrement plus de choses que vous
n'imaginez. Des choses positives, ou négatives.
Ce petit devoir vous aide à élargir votre vision du monde
et à vous faire sentir que vous appartenez
à une même humanité.

B......

A.. W........

E.... P......

A....

T.. B.....

M...... J......

T.. S.... G....

Q....

J........ B....

N... M........

D.... B....

JOUR  6 Racontez votre humeur du jour

/10

NOTEZ VOTRE
HUMEUR
SUR 10

Stopper les apparences

6

Vous commencez peut-être à être plus serein vis-à-vis de votre souffrance, de votre peur, de votre mal-être. Avez-vous remarqué qu'en général les matins sont plus douloureux que les soirées ?

Continuez les exercices, ce sont des petits moments de refuge que vous finirez par attendre avec impatience dans votre journée. Et cessez de croire que vous êtes le seul dans la panade : les autres aussi, parfois, sous leurs dehors rayonnants, sont plombés par les problèmes, l'angoisse, la peur... Je suis sûre que Mariah Carey s'est cassé un ongle aujourd'hui.

« Savoir qu'il est impossible d'établir qui est innocent et qui est coupable, et continuer à juger, c'est ce que nous faisons tous plus ou moins. Je ne pourrais être content que si j'arrivais un jour à ne plus porter de jugement sur personne. » EMIL CIORAN

Et si aujourd'hui on essayait de ne pas se juger, et de tomber le masque ?

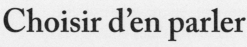

Choisir d'en parler

FAIRE SEMBLANT, C'EST FATIGUANT

Quand on est déprimé, on a déjà beaucoup d'efforts à faire pour continuer d'affronter la vie quotidienne et s'arracher à la tentation de ne rien faire et de ruminer.

Alors si en plus il faut faire semblant d'aller bien et cacher sa dépression, on va se compliquer la vie et se mettre des efforts supplémentaires sur le dos.

PARLER DE SES DIFFICULTÉS

Chaque fois que c'est possible, selon les personnes, les moments, les contextes, ne faites pas semblant d'aller bien et de sourire. Reconnaissez vos difficultés, parlez-en. Sans minimiser, sans dramatiser. C'est ce qu'on appelle la « révélation de soi » : les études montrent que « ça soulage » comme on dit, à certaines conditions (voir tableau ci-contre).

Il ne s'agit pas de se plaindre sans arrêt de son état et de ses malheurs, ni de toujours faire la gueule. Mais de faire de son mieux pour sourire et confier ses difficultés, expliquer aux autres pourquoi on n'est pas comme d'habitude, etc. Écoutez les réponses de votre interlocuteur : il a peut-être connu ça lui-même, ou a peut-être accompagné un proche dans ce cas. Et du coup, il a peut-être des conseils utiles à vous proposer. Ou des paroles réconfortantes.

L'ART DE PARLER DE SES DIFFICULTÉS

SE PLAINDRE DE SES DIFFICULTÉS	PARLER DE SES DIFFICULTÉS
On se plaint à tout le monde.	On choisit ses interlocuteurs : bienveillants, prêts à aider.
On ne s'arrête pas de parler de nos soucis, tant qu'on nous écoute.	Au bout d'un moment, on change de sujet, et on prend des nouvelles de l'interlocuteur. Si le besoin de parler est lancinant, on va chez un thérapeute.
On n'écoute pas les conseils de l'autre : il ne peut pas comprendre puisqu'il n'est pas déprimé !	On sollicite des conseils, et on s'efforce de vraiment les écouter, et non de les refuser d'emblée (même avec des « oui mais »).
L'autre se dit qu'on est vraiment très malade, et un peu pénible.	L'autre comprend pourquoi nous sommes en difficulté.
Il n'a pas tellement envie d'une nouvelle rencontre avec le moulin à plaintes que nous sommes devenus.	Il reste prêt à nous aider et à nous écouter à nouveau.
Après l'échange, on ne se sent pas mieux, plutôt moins bien, et nos convictions négatives (« Il n'y a rien à faire, personne ne peut m'aider ni me comprendre ») restent intactes.	Après l'échange, on se sent en général soulagé, soutenu, compris (« Bon, il y a quand même des gens sympas prêts à m'aider de leur mieux, même s'ils ne feront pas les efforts à ma place »).

JOUR 6

VOS TRAVAUX PRATIQUES

NOTEZ COMMENT VOUS VOUS SENTEZ MAINTENANT :

. . . .
. . . .
. . . .
. . . .
. . . .
. . . .

EXERCICE DU JOUR : ON RECOMMENCE L'INDISPENSABLE CRISE DE CALME

(5 MIN, À RÉPÉTER TOUT AU LONG DE LA JOURNÉE)

1. Assis ou allongé, vous fermez les yeux et vous videz doucement l'air de vos poumons.

2. Reprenez un peu d'air, marquez un arrêt, et expirez à nouveau, sans forcer.

3. Pendant tout l'exercice, vous portez votre attention sur votre poitrine, en observant ce petit moment de pause entre la fin de l'expiration et le début de l'inspiration. Ne forcez pas, laissez faire votre souffle, accompagnez-le. Au bout d'un moment, un rythme de respiration confortable s'établira tout seul.

4. Quand vous êtes relaxé/calmé, pensez à quelque chose d'agréable (un objet ou une personne) tout en continuant à respirer calmement.

5. Doucement, quand vous estimerez le moment venu, ouvrez les yeux, le plus lentement possible.

NOTEZ CE QUE VOUS POUVEZ TIRER COMME BÉNÉFICE DE CET EXERCICE :

. . . .
. . . .
. . . .
. . . .
. . . .
. . . .
. . . .
. . . .
. . . .
. . . .
. . . .
. . . .

LE DEVOIR DU JOUR

Dites la vérité sur votre état chaque fois que ce sera possible. Aujourd'hui, par exemple, lorsqu'on vous demandera « Comment ça va ? », répondez la vérité.

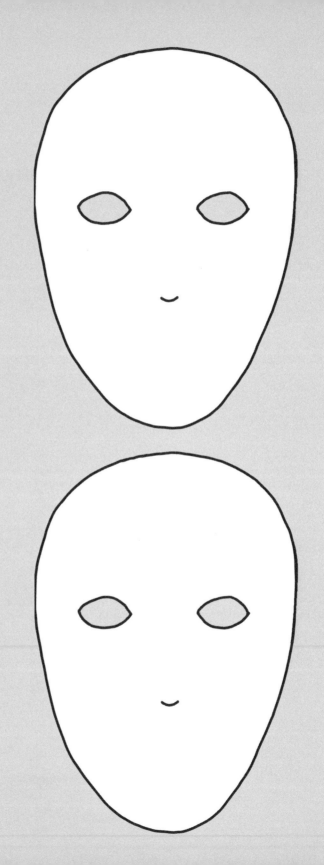

**DESSINEZ
VOTRE PROPRE
MASQUE**

Comment
vous êtes ?

Comment
les autres
vous
voient ?

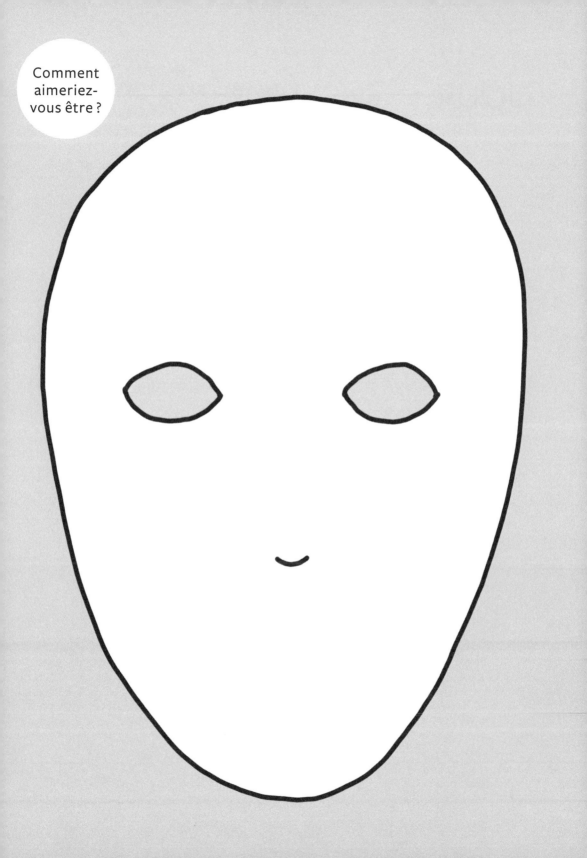

Comment aimeriez-vous être ?

JOUR 7 Comment allez-vous aujourd'hui ?

/10
NOTEZ VOTRE
HUMEUR
SUR 10

Stopper la peur de souffrir

7

Bonne nouvelle : toute douleur a une limite au-delà de laquelle elle n'augmente plus. Vous l'avez atteinte, non ? Si c'est le cas, ça ne peut qu'aller mieux !

Ne vous agrippez pas à votre souffrance, n'ajoutez pas de la souffrance à la souffrance, lâchez prise, c'est la meilleure façon de se battre. J'ai mis dix ans à le comprendre.

« Lorsque que nous nous attendons à souffrir, nous devenons anxieux. Et si la souffrance persiste, nous perdons espoir. » ROBERT PLUTCHIK

JOUR — **7** — *Les conseils de Christophe André*

Apprendre à moins souffrir

LE PIÈGE DE LA SOUFFRANCE

Tant qu'on n'est pas tombé dedans, difficile d'imaginer que la dépression puisse faire autant souffrir. La « douleur morale » dont parlent les psychiatres, c'est du sérieux…

La dépression est en général perçue comme une série de manques (manque d'énergie, de volonté, d'élan vital). Mais elle est aussi faite de beaucoup de souffrances : psychiques (angoisses, tristesse, désespoir, pessimisme) et physiques.

Oui, physiques : environ la moitié des personnes déprimées présentent des douleurs importantes (nuque ou dos, ventre, articulations, etc.). Il y a des explications précises à cela : les études montrent que le système d'inhibition des signaux douloureux, dans notre cerveau, ne fait plus son travail, et que du coup tout un tas de petites douleurs qui ne nous dérangent pas d'habitude parasitent notre cerveau.

Le danger de la douleur, c'est le rétrécissement de notre esprit. Quand on a très mal, difficile de penser à autre chose ou de faire autre chose : souvenez-vous de votre dernière rage de dents, ou de votre dernier chagrin d'amour. La douleur, physique ou morale, envahit naturellement tout notre esprit, toutes nos pensées. Elle

tend à capter toute notre attention, on n'est plus disponible pour nos proches, notre travail, nos loisirs... C'est un piège dangereux.

QUE FAIRE ?

Pour s'en sortir, l'exercice physique et la distraction sont des démarches simples et relativement efficaces, au moins à court terme. Elles permettent de ne pas trop se concentrer sur sa douleur. La douleur est toujours là, mais il y a d'autres choses dans notre esprit, d'autres sensations dans notre corps, d'autres expériences de vie à nous mettre sous la dent.

La douleur grandit sans limite quand elle est la reine de la piste : quand nous arrêtons de vivre pour elle et quand nous lui laissons prendre toute la place dans notre cerveau.

Un dernier point : pas d'héroïsme inutile ! Quand la douleur est trop violente ou se prolonge, les médicaments sont là pour vous aider à accomplir ces efforts. C'est leur boulot : des molécules-béquilles pour nous permettre de continuer à avancer, malgré la souffrance.

JOUR 7

VOS TRAVAUX PRATIQUES

NOTEZ COMMENT VOUS VOUS SENTEZ MAINTENANT :

. . . .

. . . .

. . . .

. . . .

. . . .

. . . .

EXERCICE DU JOUR : REGARDER SES PENSÉES COMME DES NUAGES

(10 MIN, MATIN ET SOIR, VOIRE PLUS)

1. Asseyez-vous en tailleur sur un coussin ou sur une chaise. Le dos est droit et souple, les yeux fermés.

2. Vous prenez conscience de votre respiration.

3. Vous prenez conscience de votre corps ici et maintenant.

4. Vous prenez conscience des sons environnants.

5. Inévitablement, vous remarquerez qu'à un moment vous êtes parti dans vos pensées. Sans vous dire que vous êtes nul, vous prenez votre attention par la main et vous la ramenez à l'instant présent.

6. Maintenant, observez ce vagabondage des pensées. Surtout ne pas chercher à les chasser, mais ne pas non plus les laisser capter votre attention. Elles sont là, parfois elles font mal, mais vous ne laissez pas votre esprit se recroqueviller sur elles. Régulièrement, vous checkez la connexion avec le souffle. Et vous regardez les pensées passer comme des nuages dans le ciel.

7. Observer ses pensées, c'est LA recette pour arrêter de croire en elles et de les suivre. Elles ne sont que des phénomènes, en aucun cas la réalité. Peu à peu, vous allez apprendre le recul.

NOTEZ CE QUE VOUS POUVEZ TIRER COMME BÉNÉFICE DE CET EXERCICE :

. . . .

. . . .

. . . .

. . . .

. . . .

. . . .

. . . .

. . . .

LE DEVOIR DU JOUR

Promis, je ne cherche pas à vous piéger, juste à vous faire marcher encore un peu plus : 20 minutes au grand air cette fois. Et pour ceux qui ont zappé les deux premières séances de marche, bon, je vous rappelle ce que disent les médecins ? C'est le meilleur antidote contre les ruminations qui vous prennent la tête et les douleurs ! Surtout, essayez d'être présent au paysage, aux sensations dans votre corps et, dès que vous repartez dans vos pensées, revenez sur le plancher des vaches !

TROUVEZ
LE CHEMIN
Trouvez la voix
de la légèreté
dans ce
labyrinthe...

NOTE
À L'ENTOURAGE :
Ce qu'il ne faut surtout pas dire à une personne dépressive !

Sors.

Vois du monde.

C'est juste une petite déprime.

Bouge.

C'est dans la tête, alors t'es pas malade.

Pitié, essaie de sourire.

On n'a qu'une vie.

C'est encore pour te faire remarquer c'est ça ?

Les médicaments c'est d'la merde.

Sors-toi les doigts du cul.

Ça va passer.

Il suffit d'attendre.

2

SEMAINE

Comprendre

« Tu dois ramer
avant que ce soit
facile. »

**CAROLINE CAPODANNO
(C'EST MOI!)**

Les jours se suivent et se ressemblent.

Il faut faire avec.

Avec ce néant.

Cette absence de tout.

Cette zone de non-vie.

De vide.

Pour sortir la tête de l'eau, je me suis aussi fait aider par les médicaments.
Pour moi, c'est une béquille fantastique, qui m'aide à me calmer,
à rafraîchir mes idées, à reprendre ma respiration avant de passer à l'attaque,
l'esprit un peu plus tranquille.

J'ai toujours fonctionné comme ça quand je deviens
trop abrutie par les ruminations pour penser logiquement,
trop angoissée par la vie pour avoir envie de l'affronter.

Je n'éprouve aucune honte à m'aider de cet artifice,
ce qui compte alors pour moi, c'est de retrouver ma vie.

Peut-être ferez-vous sans,
peut-être en sera-t-il de même pour vous...
sachez seulement qu'ils sont là ces médicaments,
si vous ne pouvez pas vous en sortir tout seul.

Ensuite, il faut attendre que le brouillard s'estompe.

L'expression « prendre son mal en patience » n'a jamais aussi bien porté son nom.

C'est long.
Si long.

JOUR ☀ 8 — *Racontez votre humeur du jour*

/10

NOTEZ VOTRE HUMEUR SUR 10

Passer en mode ACTION
J'vais te faire la peau !

Attaquons la deuxième semaine. Vous êtes plus vaillant, on va se battre maintenant !

Vos angoisses, vos peurs ? Vous allez les défier car plus vous les éviterez, plus elles vous feront mal : si vous fuyez à chaque émotion négative, comment pouvez-vous les comprendre un jour ?

Vous allez donc vous habituer à elles, les provoquer même (allons-y doucement quand même, hein).

JOUR — 8 — *Les conseils de Christophe André*

Ne plus obéir à la dépression

DÉSOBÉIR À CE SQUATTEUR ABUSIF

La dépression est un tyran qui nous donne des ordres : « Fais pas ci, fais pas ça… »

Et nous lui obéissons !

Non que cela nous plaise : être déprimé, ce n'est pas être masochiste.

Mais nous nous inclinons pour deux raisons :

> parce que nous sommes épuisés et démoralisés, et nous obéissons volontiers aux ordres qui nous disent de ne rien faire, de tout laisser tomber ;

> parce que nous ne réalisons pas que ces ordres ne sont pas l'expression de nos besoins ou de notre personnalité, mais viennent de la dépression.

Nous utilisons souvent en psychothérapie la métaphore du squatteur : imaginez quelqu'un qui s'est invité chez vous sans vous demander votre avis ; il s'est installé sur le canapé de votre salon et vous donne des ordres (« Fais-moi à manger, apporte-moi une bière, cire mes chaussures… »). Si vous lui obéissez, il ne partira jamais, et se dira qu'on est trop bien ici ! En lui désobéissant, vous lui rendrez la vie moins agréable et, peu à peu, il aura envie d'aller voir ailleurs.

8

Il s'agit de considérer la dépression comme un squatteur, ce qu'elle est d'ailleurs (elle s'est installée sans votre accord !), et de lui désobéir : « Je ne suis pas ma dépression, je suis déprimé, je suis un être humain squatté par la dépression. Ses intérêts ne sont pas les miens.»

QUE FAIRE ?

On s'efforce donc de démasquer ces ordres que nous donne la dépression, derrière les envies de ne pas faire les choses utiles ou agréables, et derrière les envies de ne rien faire.

NB : Attention, c'est parfois sympa de ne rien faire, mais seulement si on en profite, si on s'en donne joyeusement le droit. Ne rien faire sous l'effet de la dépression, c'est ne rien faire en culpabilisant, en ressassant qu'on est une loque. Et ça ne fait aucun bien !

De notre mieux, on adopte donc une attitude active vis-à-vis de la dépression :

> on repère ses ruses : elle se fait passer pour vous, elle vous fait croire que ça vient de vous, cette fatigue, cette envie de ne rien faire, ce sentiment que vous êtes nul, incompétent, fini, fichu. Mais cela vient d'elle ;

> ne l'acceptez pas. Même si pour le moment vous n'êtes pas capable de la mettre dehors, ne vous soumettez pas complètement ;

> l'idéal, chaque fois que l'on reçoit un ordre de la part de la dépression, c'est de se rebiffer, et de faire l'inverse, ou un petit bout de l'inverse.

JOUR 8

VOS TRAVAUX PRATIQUES

NOTEZ COMMENT VOUS VOUS SENTEZ MAINTENANT :

. . . .

. . . .

. . . .

. . . .

EXERCICE DU JOUR : JE NE T'ÉCOUTE PAS

(5 MIN, À RÉPÉTER DÈS QUE NÉCESSAIRES)

Virez le fatras de pensées qui encombrent votre tête. On ne peut pas arrêter de penser, mais on peut arrêter d'écouter ses pensées.

1. Arrêtez tout, là, maintenant.

2. Asseyez-vous en tailleur sur un coussin ou sur une chaise. Le dos est droit mais souple, les yeux fermés.

3. Ressentez comment vous allez, là, maintenant, comme un météorologue qui observe le temps à l'intérieur. Vous observez, vous ne vous jugez pas.

4. Dès qu'une pensée négative surgit, accueillez-la et voyez comment prendre le contrepied, toujours avec bienveillance, sans rage ni colère.

5. Votre respiration doit alors être quelque peu rapide, pensez à respirer calmement, comme nous l'avons fait la première semaine pour la ralentir et vous détacher de ces pensées.

6. Dès qu'une nouvelle pensée négative surgit, car le cerveau va essayer de vous avoir, soyez attentif, accueillez-la et voyez comment prendre le contrepied encore et toujours, contrez-la, ne l'écoutez pas… C'est qui, le patron ?

NOTEZ CE QUE VOUS POUVEZ TIRER COMME BÉNÉFICE DE CET EXERCICE :

. . . .
. . . .
. . . .
. . . .
. . . .
. . . .
. . . .
. . . .
. . . .
. . . .
. . . .
. . . .
. . . .
. . . .

LE DEVOIR DU JOUR

Marchez d'un pas calme pendant 10 minutes,
puis d'un pas rapide 10 autres minutes.
Reprenez votre souffle à votre propre rythme
les 10 minutes restantes. C'est une variante
de votre indispensable marche thérapeutique !
Ne râlez pas, avouez que vous commencez
à y prendre goût...

L'ENGRENAGE DE MES PENSÉES
1. Inscrivez un mot agréable sous chaque engrenage (cool, zen, calme, respire, love...).

2. Coloriez-les.
3. Imaginez dans quel sens ils peuvent tourner, en dessinant des flèches de couleur.

JOUR **9** Comment allez-vous aujourd'hui ?

/10

NOTEZ VOTRE
HUMEUR
SUR 10

Comprendre
ses mauvaises habitudes

Il paraît qu'il faut 66 jours en moyenne pour créer une nouvelle habitude. Il faut donc continuer les exercices pour rompre la routine de négativité dans laquelle vous vous êtes fourré. Car vous fonctionnez comme cela depuis bien plus de 66 jours...

Vous avez besoin de changer votre petite méthode d'autodénigrement, d'autodescente aux enfers, d'autodévalorisation, vous pouvez casser n'importe quelle habitude, cela prend juste un peu de temps.

« Nous sommes ce que nous répétons chaque jour. L'excellence n'est alors plus un acte, mais une habitude. » ARISTOTE

JOUR **9** *Les conseils de Christophe André*

Choisir ses habitudes

NOUS AVONS BESOIN D'HABITUDES !

Les habitudes sont ces comportements qui ne nécessitent plus d'efforts de notre part, ces automatismes grâce auxquels nous n'avons pas besoin de réfléchir avant d'agir. Se lever le matin, se brosser les dents ou prendre sa douche, ce sont des habitudes, et elles ne demandent en général pas de grands efforts ni de grands débats intérieurs.

Les habitudes sont précieuses et permettent à notre cerveau de se reposer. En effet, prendre des décisions coûte cher en énergie psychologique : de nombreuses études se sont penchées sur ce qu'on appelle la « fatigue décisionnelle ». C'est une réalité, même pour des personnes non déprimées : à force d'avoir des décisions à prendre, même minimes, on fatigue…

C'est pour cette raison d'ailleurs qu'il est si difficile de prendre des décisions quand on est déprimé : d'abord, on a moins d'énergie vitale que d'ordinaire, alors la dépenser dans une foule de petites décisions quotidiennes, c'est épuisant par avance ! Ensuite, la dépression désorganise aussi nos habitudes, nos bons automatismes. Tout ce que nous faisions sans trop d'efforts, sans trop nous poser de questions, devient difficile : se lever, se laver, choisir ses vêtements, etc.

LES MAUVAISES HABITUDES DE LA DÉPRESSION

C'est pourquoi des comportements dictés par la dépression ont tendance à s'installer : ne rien faire, éviter les décisions et les actions, rester prostré. On se met en mode d'économie d'énergie, mais de manière excessive. Du coup, en se voyant ainsi, on commence à ruminer, ressasser, pleurer, se dévaloriser.

EXEMPLES D'HABITUDES À REMETTRE EN PLACE (POUR VOUS RAPPELER LES VÔTRES)

> **faire quelques mouvements de gym douce le matin,** disons 5 minutes ;

> **sortir marcher trois fois 10 minutes par jour minimum,** même s'il fait un temps de chien ;

> **sourire le plus souvent possible dans la journée,** et prendre régulièrement de grandes inspirations, se redresser, ouvrir ses épaules ;

> **avant de s'endormir, se centrer sur sa respiration,** passer son corps en revue pour le détendre, se rappeler un ou deux bons moments, même tout simples, de la journée, sourire même sans raison…

JOUR 9

VOS TRAVAUX PRATIQUES

NOTEZ COMMENT VOUS VOUS SENTEZ MAINTENANT :

. . . .

. . . .

. . . .

. . . .

. . . .

. . . .

EXERCICE DU JOUR : ROUTINE D'AUTO-AMITIÉ

(10 MIN)

1. Asseyez-vous confortablement, les yeux fermés.

2. Prenez conscience de votre respiration, soyez présent à ce qui se passe ici et maintenant.

3. Demandez-vous si vous êtes votre meilleur ami ou votre pire ennemi. Agissez-vous au mieux de vos intérêts ?

4. Imaginez quelqu'un pour qui vous comptez, un parent, un enfant, un animal. Imprégnez-vous de ce sentiment d'être aimé, valorisé.

5. Vous-même, que ressentez-vous en présence d'un enfant, d'un ami proche, voire d'un animal de compagnie ? Laissez grandir en vous la sensation que vous êtes votre propre ami. Laissez votre corps adopter une posture de protection et de bienveillance.

6. Revoyez-vous enfant, vulnérable et doux, et étendez cette attitude de prévenance à ce petit garçon ou à cette petite fille (vous pouvez vous procurer une photo de vous enfant).

7. Imaginez ce même sentiment, cette même posture envers vous-même aujourd'hui.

NOTEZ CE QUE VOUS POUVEZ TIRER COMME BÉNÉFICE DE CET EXERCICE :

. . . .
. . . .
. . . .
. . . .
. . . .
. . . .
. . . .
. . . .
. . . .
. . . .
. . . .
. . . .
. . . .

LE DEVOIR DU JOUR

Et si vous essayiez de rebooster vos habitudes,
de bousculer l'inertie de la déprime !
Pourquoi ne pas changer de coupe de cheveux ?
Changer de tenue ? De chaussures ?
Pourquoi ne pas essayer de nouvelles recettes de
cuisine ? Mettre la musique à fond ?
ET SOYEZ FIER DE VOUS !

PRA...

MA...

PROGR...

**PROGRESSONS
ENSEMBLE**
Coloriez le texte
avec des couleurs pâles
au début puis de plus
en plus foncées.

TISE

KES

ESS!!!⁂

JOUR 10 Racontez votre humeur du jour

/10
NOTEZ VOTRE
HUMEUR
SUR 10

Comprendre que vous vous trompez de temps

Plus vous vivez dans le passé, ou dans le futur, plus vous refusez le présent, plus vous souffrez : l'anxiété, les projections, la peur viennent de ce qu'on anticipe le futur. Le regret, l'amertume, la tristesse sont causés par une trop grande préoccupation du passé. Pas de panique : c'est une tendance normale de notre esprit. Cela a même servi à nos ancêtres pour survivre. Mais à la longue, c'est épuisant ! Votre vie se déroule maintenant ! Ne vous laissez pas entraîner dans le passé ou le futur, et tout se passera bien.

« Êtes-vous inquiet ? Avez-vous des pensées anticipatoires ? Dans ce cas, vous vous identifiez à votre mental, qui se projette dans une situation imaginaire et crée la peur. Il n'y a aucun moyen de faire face à une telle situation, car celle-ci n'existe pas. Vous pouvez mettre fin à cette folie corrosive qui sape votre vie : il vous suffit d'appréhender l'instant présent. Prenez conscience de votre respiration. Sentez(...) l'air qui entre et sort de vos poumons.(...) Tout ce que vous aurez jamais à affronter et à envisager dans la vie réelle, c'est cet instant. Alors que vous ne pouvez pas le faire dans le cas de projections mentales imaginaires. Demandez-vous quel "problème" vous avez à l'instant, et non celui que vous aurez l'an prochain, demain ou dans cinq minutes.(...) La réponse, la force, l'action ou la ressource justes se présenteront lorsque vous en aurez besoin. Ni avant, ni après. » ECKHART TOLLE

Je ne peux pas dire mieux.

JOUR —10— Les conseils de Christophe André

Vivre au bon temps

LES PERTURBATIONS TEMPORELLES DE LA DÉPRESSION

Parmi les perturbations psychologiques de la dépression figure le rapport au temps.

Elle nous pousse souvent à vivre dans le passé : on se perd dans ses regrets, on passe sa vie en revue, on fait la liste de ses erreurs supposées... Toutes les études le montrent, quand une personne déprimée rédige sa biographie, elle ne se souvient bien sûr que des mauvais côtés : échecs, souffrances, mauvais choix. Elle oublie inconsciemment toutes les bonnes choses : moments de bonheur, succès, etc.

La dépression pousse aussi vers le futur, mais pas un futur très joyeux : on anticipe de façon négative et angoissée. On imagine les catastrophes et les problèmes à venir en se fondant sur son état actuel : « Si je reste comme ça, je ne pourrai plus jamais reprendre mon travail, mes activités, m'occuper de mes proches, profiter de la vie... » Là encore, notre cerveau déprimé ne peut voir l'avenir que sous forme d'une succession de problèmes, et ignore superbement la possibilité de bonnes choses : qu'on puisse guérir, par exemple !

REVENEZ VIVRE DANS L'INSTANT PRÉSENT

De votre mieux, chaque fois que vous voyez que vos pensées vous embarquent dans un passé plein de tristesse et de regrets, ou un futur plein de dangers, revenez vers le présent.

Faites cela d'une façon très particulière, presque animale : le présent, c'est que vous êtes en vie, vous respirez, vous entendez, vous voyez, vous ressentez. Allez-y : prenez le temps de bien ressentir votre respiration, là, maintenant ; d'écouter les sons, comme ça, pour rien, pour vous ancrer dans le présent : regardez tout autour de vous, sans rien chercher sinon à faire fonctionner votre regard (c'est chouette de voir, mieux que d'être aveugle, non ?) ; si vous sentez que vos pensées et jugements négatifs reviennent, laissez-les filer. Ne cherchez pas à juger sans arrêt si ce présent est bon ou mauvais, habitez-le, tout simplement, pour le moment ; vous jugerez plus tard.

> De votre mieux, habitez non pas le présent de la plainte, le présent du jugement, mais le présent de la vie, toute simple.

> Utilisez votre corps, accomplissez des actes simples auxquels vous pouvez vous rendre totalement présent : respirer, marcher, monter et descendre des escaliers, ranger des objets, jardiner, préparer de la nourriture.

> De votre mieux, occupez votre esprit à d'autres choses que la rumination, occupez votre corps à d'autres choses que la prostration et l'immobilité.

> Quand on est déprimé, mieux vaut bouger, même bêtement (ce qu'on croit !), que ruminer, même intelligemment (ce qu'on croit !)

JOUR 10  VOS TRAVAUX PRATIQUES

NOTEZ COMMENT VOUS VOUS SENTEZ MAINTENANT :

. . . .
. . . .
. . . .
. . . .
. . . .
. . . .
. . . .
. . . .

EXERCICE DU JOUR : EXERCICE D'INSTANT PRÉSENT

(10 MIN LE MATIN ET 10 MIN LE SOIR)

Faire attention à l'instant présent, c'est reconnaître qu'en ce moment, quel que soit votre état d'âme, il y a plus de choses qui vont bien que de choses qui ne vont pas bien : vous respirez, vous êtes en vie, intègre.

1. Fermez les yeux quelques minutes. À l'instant même, respirez-vous correctement ? Votre cœur bat-il ? Votre esprit fonctionne-t-il ?

2. Au fond du fond, au cœur de votre être, même si la tempête fait rage à la surface, il y a un espace de paix, un refuge.

3. Imprégnez-vous de cette sensation : il y a plus de choses qui vont bien en ce moment que de choses qui ne vont pas bien.

4. Il ne s'agit pas d'ignorer les problèmes réels ou de faire comme si tout allait bien. Mais de voir qu'en cet instant vous éprouvez une vérité essentielle, plus profonde que la tristesse ou la peur : votre corps respire, il vit et il va bien, et je vous jure que c'est le principal.

NOTEZ CE QUE VOUS POUVEZ TIRER COMME BÉNÉFICE DE CET EXERCICE :

. . . .
. . . .
. . . .
. . . .
. . . .
. . . .
. . . .
. . . .
. . . .
. . . .
. . . .
. . . .
. . . .
. . . .

LE DEVOIR DU JOUR

Au-delà des hauts et des bas de votre humeur dans la journée, quand vous vaquez à vos occupations, que vous bossez, conduisez ou préparez le dîner, murmurez dans votre tête : « À cet instant même, je vais bien, et c'est ça qui compte. »

C'EST JUSTE
UNE QUESTION DE TEMPS
Écrivez une lettre à l'enfant
que vous étiez.

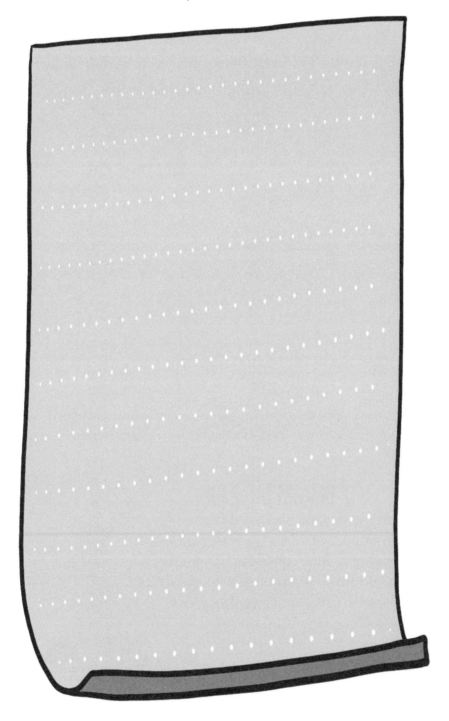

Écrivez maintenant une lettre
à l'adulte que vous êtes devenu.

JOUR —11— Comment allez-vous aujourd'hui ?

/10

NOTEZ VOTRE HUMEUR SUR 10

Comprendre vos soucis

Vous commencez à comprendre que la douleur liée à vos soucis est inévitable, vous allez probablement la ressentir aujourd'hui, un peu, beaucoup, mais vous la laisserez filer. Ne vous y attardez pas, ne vous y embourbez pas.

Vous ferez une crise de calme (voir exercice semaine 1, jour 2), vous vous relaxerez car vous savez maintenant que tout va bien, là, maintenant. Et c'est tout ce qui compte, là, maintenant.

« Lorsqu'on a mal aux dents, on sait que ne pas avoir mal aux dents est merveilleux. Mais lorsqu'on n'a plus mal aux dents, on n'est toujours pas heureux. Ne pas souffrir des dents est très agréable. On néglige tant de choses agréables lorsqu'on ne pratique pas la pleine conscience. » THICH NHAT HANH

JOUR **11** *Les conseils de Christophe André*

Accepter ses limites

Les soucis qu'on affronte quand on est déprimé sont en général les mêmes que ceux qu'on affrontait quand on ne l'était pas. On y arrivait alors sans problème !

Mais en ce moment, la dépression grippe tout, bride toutes nos énergies. Du coup, ce sont les mêmes soucis, mais nous, nous ne sommes plus les mêmes, nous nous sentons moins capables de faire face. Et nous nous affolons à l'idée que nous n'y arriverons plus jamais !

QUE FAIRE ?

De votre mieux, n'oubliez pas toutes les difficultés que vous avez tranquillement affrontées par le passé. Même si, pour l'instant vous n'en êtes pas capable, ces capacités ne sont pas effacées mais juste anesthésiées par la dépression. Elles vont se réveiller. Dans un premier temps, ne cherchez pas à tout affronter, à tout régler. Faites ce que vous pouvez. Si vous aviez une jambe cassée, vous n'envisageriez pas de marcher ni de courir. N'oubliez pas que vous êtes handicapé par la dépression : ici, le handicap, c'est qu'on a du mal, non pas à marcher (encore que, même ça, on a parfois du mal) mais à prendre des décisions, à affronter les soucis, à se calmer, à avoir confiance. C'est un handicap invisible, mais tout aussi réel qu'une jambe cassée.

Le philosophe Cioran écrivait : « Nous sommes tous des far-ceurs : nous survivons à nos problèmes. » Un peu radical, mais il avait raison ! Même si cela nous semble difficile à accepter, dans nos vies, beaucoup de soucis se résolvent tout seuls ; ou parce qu'on reçoit de l'aide, même si on ne s'y attendait pas ; ou parce qu'on finit par trouver des solutions.

CE QU'ON SE DIT SANS LA DÉPRESSION	CE QU'ON SE DIT AVEC LA DÉPRESSION
C'est normal d'avoir des soucis et des difficultés, c'est le « loyer » de la vie.	C'est anormal tous ces problèmes, il devrait être possible de ne pas avoir de soucis.
Quand des soucis arrivent, je m'en occupe et je m'efforce de les régler.	Quand des soucis arrivent, je me sens écrasé, malchanceux et incapable de leur faire face.
Quand je n'arrive pas à régler mes soucis, je les laisse de côté et je continue de vivre en attendant qu'une solution arrive.	Quand je n'arrive pas à régler mes soucis, je continue d'y penser et de me demander pourquoi je n'y arrive pas.
Je sais que je ne pourrai pas m'occuper de tout, alors je hiérarchise les problèmes, je m'occupe d'abord de ce qui est plus important ou urgent.	Tous les problèmes sont menaçants à mes yeux, et si j'étais quelqu'un de bien, je devrais m'occuper de tous et tous les régler.
Il n'y a pas que les soucis dans la vie, il faut aussi faire attention à tout ce qui va bien, sinon on déprime encore plus.	Je m'occuperai de me faire du bien quand j'aurai réglé tous mes soucis.
J'écoute les conseils de mes proches, ils ont plus de recul que moi sur mes soucis.	Je n'écoute pas les conseils de mes proches, ils ne sont pas déprimés, donc ils ne peuvent pas comprendre mes soucis.

JOUR 11

VOS TRAVAUX PRATIQUES

NOTEZ COMMENT VOUS VOUS SENTEZ MAINTENANT :

. . . .
. . . .
. . . .
. . . .
. . . .
. . . .
. . . .
. . . .
. . . .

EXERCICE DU JOUR : EXPOSITION AU SOUCI

(10 MIN, MATIN ET SOIR)

1. Asseyez-vous en tailleur, ou bien confortablement sur une chaise, les mains sur les genoux. Fermez les yeux.

2. Évoquez votre souci principal.

3. Observez ce que vous ressentez et ce que cela provoque en vous.

4. Laissez monter ce souci et ce que cela implique. Observez vos sensations corporelles.

5. Après quelques minutes, dites STOP.

6. Pratiquez ensuite une crise de calme (voir jour 2).

7. Une fois le calme revenu, que diriez-vous à un ami qui aurait ce même souci ? Que lui conseilleriez-vous ?

11

NOTEZ CE QUE VOUS POUVEZ TIRER COMME BÉNÉFICE DE CET EXERCICE :

. . . .
. . . .
. . . .
. . . .
. . . .
. . . .
. . . .
. . . .
. . . .
. . . .
. . . .
. . . .
. . . .
. . . .

LE DEVOIR DU JOUR

Il est temps de se bouger un peu.
Sortez une demi-heure en alternant marche lente
et rapide. On vous le répète,
la marche est un antidépresseur naturel, gratuit
et plein d'effets secondaires positifs !
Si vous vous en sentez le courage, courez !

LES SOUCIS

Dessinez vos soucis
en fonction de la place
qu'ils prennent
dans votre vie.

Exemple :

Peur de
l'avion

Soucis pour
mes enfants

Stress
du
boulot

peur
de
l'abandon

PAS de soucis !

Dessinez vos soucis
comme vous
aimeriez les voir.

JOUR — 12 —

Racontez votre humeur du jour

/10

NOTEZ VOTRE HUMEUR SUR 10

Oui mais... et si...

Ahhhhhhhhh... vous les connaissez comme moi les «oui mais...», «et si...».

Ces dévoreurs d'énergie, cette réponse des individus souffrant d'un besoin inconscient de se rendre malheureux.

On produit en permanence des hypothèses sur les dangers éventuels à venir, on prend l'hypothèse pour une certitude, on réagit comme si c'était la réalité.

Et vous remarquerez qu'en général cette hypothèse verse dans le négatif: on prévoit le pire (ben voyons), jamais le meilleur (ben voyons)...

Rappelez-vous, tout cela n'est que temporaire de toute façon.

«La peur n'évite pas le danger.» PAPA

Les conseils de Christophe André

Ne pas chipoter

Un proverbe allemand dit que «le diable se cache dans les détails». Pour la dépression, c'est un peu vrai. Les petits détails de nos façons de penser ou de parler ont plus d'importance qu'on ne le croit!

Par exemple, les «oui mais…» et les «et si…?».

Essayez de vous observer, et de compter combien de fois par jour vous commencez vos phrases ou vos pensées ainsi. Ces petites locutions n'ont rien d'anodin, elles traduisent la manière dont la dépression influence votre regard sur la vie.

Petit exercice de traduction du **«oui mais»** : en réponse à un bon conseil d'un proche, quand on commence par un «oui mais», cela signifie: «Tu es bien gentille, peut-être que ça pourrait marcher pour les autres, mais pas pour moi, dans mon cas, il va y avoir un souci, ça ne servira à rien, et je ne vais même pas essayer, d'ailleurs!» Répondre «oui, mais…» aux conseils, c'est juste une façon hypocrite de dire «non, non et non». C'est une ruse de la dépression pour avancer masquée, elle fait semblant d'avoir écouté le conseil ou les arguments, mais en fait, non, elle n'écoute que sa logique, continue de tout bloquer et empêche d'avancer.

Petit exercice de traduction du **«et si»** : quand on fait l'effort d'imaginer des solutions, on les écarte tout de suite avec une série de «et si…». Je veux bien essayer, mais : et si ça ne marche pas?

Et si je me trompe ? Et si c'est pire qu'avant ? Dès qu'un effort est envisagé, on l'écrabouille sous toute une série de possibilités négatives. On ne se dit pas assez la simple phrase : « Et si ça marchait ? » Et si ça marchait, malgré mon pessimisme, malgré ma fatigue, malgré ma dépression ?

La dépression fait de nous de grands experts en découragement, démotivation, pessimisme et négativisme. On finit par ne plus s'en apercevoir parce qu'on oublie que c'est la dépression qui parle à notre place, voit le monde à notre place, avec ses yeux. On s'est effacé, on a disparu. Réaffirmons-nous !

EXEMPLE : UNE SÉQUENCE DE LUTTE CONTRE LES « OUI MAIS... »

1. Repérer : toutes les fois où on le dit. Le pire est de ne pas s'en rendre compte : dégâts assurés. Dire et penser « oui mais », c'est comme rouler en voiture avec le frein à main : on ne va pas démarrer, ou alors si on démarre, on n'ira pas loin…

2. Reformuler : c'est un réflexe, donc on ne peut pas l'éteindre tout de suite, mais il est possible de réagir rapidement. En se disant par exemple, au lieu de « oui mais » : Oui, pourquoi pas ?

3. Tenter malgré tout ce qui nous est proposé. Le pire c'est de ne rien faire. « En essayant on se trompe parfois. En renonçant, on se trompe toujours », disait Romain Rolland. Alors on essaie ! Et sans « oui mais… » !

JOUR -12-

NOTEZ COMMENT VOUS VOUS SENTEZ MAINTENANT :

. . . .
. . . .
. . . .
. . . .
. . . .
. . . .

EXERCICE DU JOUR : L'ATTENTION AUX PETITS PLAISIRS DE LA VIE
(TOUTE LA JOURNÉE)

En donnant plus de place aux moments réjouissants, même minuscules, on baisse automatiquement le volume de la petite voix intérieure qui s'ingénie à faire surgir tous les « oui mais » de la terre.

1. Demandez à vos sens : qu'est-ce qui est beau (la lumière, une musique, un enfant qui dort, etc.) ? Qu'est-ce qui est agréable (un verre de vin, une serviette toute propre, une caresse, etc.) ?

2. Demandez à votre cerveau : quels sont les souvenirs qui me font plaisir ? Quelles sont les pensées qui me réjouissent (je m'imagine au bord de la mer, à la montagne) ?

3. Savourez le plaisir que vous procure cette évocation. Laissez-le emplir vos sens et votre corps, comme une méga-infusion, sans retenue et sans jugement.

4. Répétez cette opération plusieurs fois dans la journée, pendant 1 ou 2 minutes. Amélioration de l'humeur et dissipation des peurs garanties !

NOTEZ CE QUE VOUS POUVEZ TIRER COMME BÉNÉFICE DE CET EXERCICE :

. . . .
. . . .
. . . .
. . . .
. . . .
. . . .
. . . .
. . . .
. . . .
. . . .
. . . .
. . . .
. . . .
. . . .

LE DEVOIR DU JOUR

Repérez toute la journée les « oui mais »,
« et si... », et ne les écoutez pas.
Envoyez-les balader. Remplacez-les par
du plaisir, rien que du plaisir.

LES AMIS C'EST BIEN
VOUS TROMPE. LE
COEURS. OUI MAIS,
SUIS SI GROSSE QUE
CHAT SI JAMAIS JE
SI JE MEURS DEMAI
AUTRES. OUI MAIS,
ENFER. ET SI MA MÈ
ELLE VA ME PRENDRE
EST LE MEILLEUR ÉCR
MAIS DESPENTES AU
BEATLES SE REFORM

OUI MAIS...
Coloriez les « OUI MAIS »,
les « ET SI » inutiles.

UI MAIS PARFOIS, ÇA

OLEIL CHAUFFE LES

T S'IL S'ÉTEINT ? JE

POURRAIS TUER MON

ASSEOIS SUR LUI. ET

L'ENFER, C'EST LES

MOI AUSSI, C'EST

E VIENT CE WEEK-END

A TÊTE. OSCAR WILDE

AIN DE LA TERRE. OU

I. ET SI JAMAIS LES

ENT ? OUI MAIS OUI

JOUR 13 Comment allez-vous aujourd'hui ?

/10
NOTEZ VOTRE
HUMEUR
SUR 10

Comprendre l'importance de l'autre

Parfois, on a juste besoin d'une personne à nos côtés. Même si elle ne peut pas résoudre nos problèmes, juste savoir qu'elle est là, plus ou moins près de nous, et qu'elle tient à nous, eh bien, croyez-moi, ça peut faire toute la différence.

Cette personne est précieuse. Pourtant, êtes-vous vraiment conscient de sa présence ? Prenez-vous le temps de la regarder ? Et lui avez-vous dit à quel point elle compte pour vous ? Si vous ne pouvez pas le lui dire, faites-le-lui comprendre. Profitez de ces instants avec elle du mieux que vous pouvez.

« Lorsqu'on a pris conscience de la distance infinie qu'il y aura toujours entre deux êtres humains, quels qu'ils soient, une merveilleuse "vie côte à côte" devient possible : il faudra qu'ils deviennent capables d'aimer cette distance qui les sépare et grâce à laquelle chacun des deux aperçoit l'autre entier, découpé dans le ciel. » RAINER MARIA RILKE

JOUR **13** *Les conseils de Christophe André*

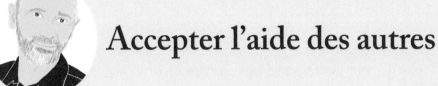

Accepter l'aide des autres

LE SOUTIEN DES AUTRES

Toutes les études montrent que ce qu'on appelle le « soutien social » est indispensable pour aller bien, et encore plus pour sortir de la dépression. Ce soutien social se compose de quatre éléments :

> Le soutien émotionnel : nos proches peuvent nous remonter le moral, nous dire et nous montrer qu'ils nous aiment, et nous apprécient.

> Le soutien d'estime : ils peuvent nous rappeler nos qualités, notre valeur. Comme ils ne sont pas déprimés, ils n'ont pas ce regard contaminé et faussé que nous avons sur nous-même. Ils voient bien que nous ne sommes pas au mieux, mais ils continuent aussi de voir nos qualités ; ce que nous n'arrivons plus à faire.

> Le soutien matériel : tout simplement, nos proches peuvent nous donner un coup de main, pour faire des courses, bricoler, ranger, sortir faire un peu d'exercice… Nos collègues de travail peuvent nous aider dans nos tâches professionnelles.

> Le soutien informatif : notre entourage peut nous donner des conseils, des informations précieuses. Tel livre à lire sur la dépression, tel effort qui les a aidés quand eux-mêmes étaient déprimés, tel film qui les faisait rire même quand ils se sentaient

tristounets… Quand on est déprimé, on n'a plus beaucoup d'idées, d'intérêts, de créativité : c'est le moment de s'appuyer sur nos proches, en attendant que tout cela revienne.

ÉLOGE DU LIEN

En lisant ces lignes, vous êtes sans doute en train de vous dire : «Je suis devenu totalement assisté, je ne peux survivre qu'en m'accrochant aux autres.» Normal, c'est votre cerveau déprimé qui vous fait penser ça. Mais attention : nous parlons ici d'«interdépendance», et non de «dépendance» ! Les autres aussi ont besoin de vous, sont dépendants de vous, de votre amour, de votre affection, de votre amitié, de vos conseils, de votre soutien…

Simplement, pour l'instant, vous ne pouvez pas leur donner autant que d'habitude. Vous prenez plus que vous ne donnez. Comme avec une jambe cassée : vous ne pouvez plus aider grand monde, mais vous avez besoin d'être aidé. La vie est ainsi faite : parfois on donne, parfois on prend.

Prenez et acceptez l'aide des autres : vous leur rendrez plus tard. Pour le moment, ils ne vous demandent rien, ils voient bien que vous faites ce que vous pouvez ; alors ne vous mettez pas la pression.

JOUR 13

VOS TRAVAUX PRATIQUES

NOTEZ COMMENT VOUS VOUS SENTEZ MAINTENANT :

EXERCICE DU JOUR : UN PEU DE SOLLICITUDE

(10 MIN, MATIN ET SOIR)

1. Asseyez-vous sur un coussin ou sur une chaise, le dos droit et souple. Fermez les yeux.

2. Songez à une personne importante pour vous, qui vous aime et que vous aimez.

3. Pensez à la chance que vous avez de connaître cette personne, qu'elle soit à vos côtés ou dans votre esprit, pensez au bonheur de pouvoir simplement l'évoquer. Ressentez cette émotion dans votre cœur. Au besoin, posez la main sur votre poitrine, à l'endroit du cœur.

4. Imaginez un souhait sincère pour cette personne, qui lui ferait du bien, et adressez-lui ce souhait (qu'elle soit en bonne santé, qu'elle réussisse un examen, qu'elle soit heureuse).

5. Notez les émotions que vous ressentez alors.

6. Gardez ces sentiments en vous le plus longtemps possible.

NOTEZ CE QUE VOUS POUVEZ TIRER COMME BÉNÉFICE DE CET EXERCICE :

. . . .
. . . .
. . . .
. . . .
. . . .
. . . .
. . . .
. . . .
. . . .
. . . .
. . . .
. . . .
. . . .

LE DEVOIR DU JOUR

Appelez ou voyez quelqu'un à qui vous tenez vraiment. Dites-le-lui. Si cette personne vit à vos côtés, veillez à être vraiment présent pour elle lorsque vous êtes ensemble : si vous parlez avec elle, écoutez-la, si vous partagez un repas avec elle, ne laissez pas votre esprit être accaparé par autre chose.

ÉCOUTEZ-VOUS
Écrivez dans la bulle
ce que vous aimeriez
entendre des personnes
les plus importantes
à votre cœur.

JOUR 14

Racontez votre humeur du jour

. . . .
. . . .
. . . .
. . . .
. . . .
. . . .
. . . .
. . . .
. . . .
. . . .
. . . .
. . . .
. . . .
. . . .
. . . .
. . . .
. . . .

/10

NOTEZ VOTRE HUMEUR SUR 10

Comprendre qu'il faut prendre les choses une par une

Vous ne pouvez pas TOUT résoudre d'un coup, là maintenant, tout de suite. Soyez patient. Prenez la vie un pas après l'autre.

Soyez reconnaissant pour les petites choses d'aujourd'hui.

Il y a une solution pour chaque problème : accepter, changer ou laisser filer.

Si vous ne pouvez pas accepter, changez. Si vous ne pouvez pas changer, laissez filer.

Jour après jour. Petit à petit. Ne stressez pas pour des choses sur lesquelles vous n'avez pas le contrôle aujourd'hui. On verra ça demain. Ou après-demain... ou pas.

« Patience, patience,
Patience dans l'azur.
Chaque atome de silence
Est la chance d'un fruit mûr. »
PAUL VALÉRY

JOUR — **14** — Les conseils
de Christophe André

Surveiller les bugs de son cerveau

N'oublions jamais que notre cerveau est modifié par la maladie dépressive.

> Nos émotions sont perturbées : nous avons du mal à nous réjouir et à savourer, et nous prenons de plein fouet la moindre angoisse ou le moindre découragement.

> Notre intelligence est ralentie : nous avons du mal à nous concentrer, à faire fonctionner notre mémoire, à réfléchir de manière approfondie.

> Enfin, notre vision du monde est déformée.

L'EFFET LOUPE

Se trouve par exemple dans notre cerveau ce qu'on appelle un «effet loupe», un effet grossissant : lorsque nous regardons nos problèmes, ils nous apparaissent beaucoup plus gros qu'ils ne sont en réalité. Cela porte même sur de tout petits détails : s'il faut évaluer la hauteur d'une montagne, le poids d'un objet ou le temps nécessaire pour faire quelque chose, la personne déprimée va toujours en rajouter (la montagne lui paraît beaucoup plus haute, l'objet beaucoup plus lourd, le temps requis beaucoup plus long). D'où un découragement accru, et l'impression qu'il va falloir faire de gros efforts ! Alors qu'on est déjà bien déprimé ! N'oublions jamais cet effet loupe quand on va juger d'un effort à faire…

L'EFFET D'AMALGAME

Une autre déformation est l'effet d'amalgame : face à une tâche qu'on pourrait décomposer en plusieurs petits objectifs séparés, on a du mal. Par exemple, face à une pièce en désordre qu'il faut ranger, on ne voit que la masse du désordre (et on se dit : « Impossible, je n'y arriverai pas en une seule fois »). Du coup, on a du mal à fractionner ce qu'il y a à faire : « D'abord, ramasser ce qu'il y a par terre ; plus tard, réunir les objets à ranger par familles ; etc. » La solution recommandée par tous les thérapeutes est là, face à de grandes tâches :

> les décomposer en petites étapes ;

> accomplir ces étapes une par une sans se mettre la pression ;

> et surtout sans se juger ni comparer avec ce que nous pourrions faire sans la dépression, évidemment !

LE RAISONNEMENT DU TOUT OU RIEN

Allez, une dernière déformation classique de notre regard dont il faut se méfier : le « raisonnement du tout ou rien ». C'est une forme de perfectionnisme excessif et dépressif : face à une tâche, on se dit (sans parfois s'en rendre clairement compte) : « Soit je le fais totalement et parfaitement, soit je renonce et je ne le fais pas du tout. » On a du mal à accepter de faire les choses par petits morceaux, de manière incomplète ou imparfaite.

Alors on se met au travail, de notre mieux, par petites étapes. Et surtout, on n'oublie pas de se récompenser, de se féliciter : « Bravo ! C'est déjà ça de fait ! Comment ? Il en reste encore à faire ? Oui, oui, pas grave, on verra ça demain… »

JOUR 14

VOS TRAVAUX PRATIQUES

NOTEZ COMMENT VOUS VOUS SENTEZ MAINTENANT :

. . . .
. . . .
. . . .
. . . .
. . . .
. . . .
. . . .
. . . .
. . . .

EXERCICE DU JOUR : TRAVAILLER LES MUSCLES DU LÂCHER-PRISE

(PLUSIEURS FOIS PAR JOUR)

L'impatience nous conduit à ne voir que ce qui « ne va pas » tandis que la patience nous laisse ouvert à une vision d'ensemble. Alors, prêt pour un petit training de vos méninges ?

1. Dans des petites situations quotidiennes, travaillez les muscles de votre patience : au cours d'un repas par exemple, quand vous attendez en faisant les courses ou dans une conversation où on ne vous laisse pas prendre la parole.

2. Soyez conscient des sensations corporelles et des émotions déclenchées par l'attente ou la frustration, et voyez si vous pouvez les accepter sans réagir par l'impatience.

3. Exercez-vous à renoncer à cette idée et à la remplacer par de meilleures suggestions.

4. De manière générale, accueillez les choses agréables sans vous y accrocher ; accueillez les choses désagréables sans leur résister et accueillez les choses neutres sans chercher à les rendre agréables.

NOTEZ CE QUE VOUS POUVEZ TIRER COMME BÉNÉFICE DE CET EXERCICE :

. . . .

. . . .

. . . .

. . . .

. . . .

. . . .

LE DEVOIR DU JOUR

« Si tu laisses reposer une eau boueuse, elle s'éclaircira. De même, si tu laisses reposer ton esprit troublé, la chose à faire t'apparaîtra clairement », suggérait Bouddha. Mettez un peu de terre dans un verre, remuez avec une cuillère. Vos pensées sont comme ce liquide, plus vous vous agitez, plus votre esprit est trouble. Laissez retomber la terre au fond du verre, tranquillement, comme vos pensées. Et tout sera plus clair...

Je lâcherais prise si ...

EN PROFITER
Qu'aimeriez-vous
entendre qui vous
permettrait
de lâcher prise,
et de profiter de la vie ?
Listez cela ici…

Avez-vous pensé aux médicaments ?

Il arrive parfois qu'on soit tellement ancré dans sa douleur
qu'on ne peut pas avoir la lucidité nécessaire pour réussir à remonter la pente.
Ces deux semaines d'exercices ne vous ont pas suffisamment aidé ?
Si vous aviez du diabète, vous prendriez de l'insuline sans discuter,
et ce ne serait pas un échec. Vous êtes dépressif, il existe des médicaments.
Ce n'est pas baisser les bras que d'en prendre,
c'est admettre qu'on a besoin d'aide, et c'est combattre la maladie
avec les armes adaptées à notre douleur.

C'est une béquille temporaire, souvent salutaire.
Et qui peut nous aider à faire les efforts nécessaires.

Pourquoi se condamner à souffrir alors qu'un simple comprimé pourrait vous soulager ?

SEMAINE

Décider

« Vivre est la chose la plus rare du monde. La plupart des gens ne font qu'exister. »

OSCAR WILDE

Les exercices de respiration, la pleine conscience, le repos,
avec tout ça, je progressais doucement...

Mais j'ai commencé à aller vraiment mieux
le jour où j'ai compris qu'il fallait renoncer à s'en sortir.

Ce jour-là, j'étais en pleine crise de panique,
une panique glaciale, folle, totale,
ça tournait dans tous les sens, ça se bousculait dans ma tête,
la peur, l'angoisse, la mort rôdait, c'était une souffrance intense :

Et c'est encore une fois Raf, l'homme de ma vie,
qui a dit LA phrase qui allait tout faire basculer pour moi :

Si :
ACCEPTE.

Je n'avais jamais pensé à cette éventualité :

ACCEPTER.

À partir de cet instant, j'ai laissé couler.
Je suis rentrée dans une zone de repli, mais pas de repli sur moi,
de repli sur le combat.

Dans les sables mouvants,
plus on se débat, plus on coule.
j'allais cesser de me débattre.

J'ai choisi de croire que si je continuais à faire mes exercices
et à prendre mes médicaments, la vague passerait...
... alors, entre deux méditations et séances de rugby, je m'affalais dans mon canapé,
ou devant la télé, ou juste, je gobais la montagne des yeux.

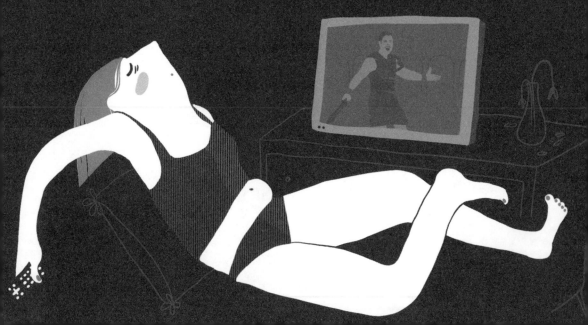

Position approuvée

Je ne faisais rien d'autre que regarder
le temps passer. En position foetale,
la seule qui me convenait à peu près.

Et au lieu de voir ça comme un échec ou un glissement irréversible vers le bas,
j'ai choisi de voir ça du bon côté. Il fallait en faire des efforts pour voir ça du bon côté.
Il est où le bon côté ? Et c'était finalement pas si désagréable.

(si on fait abstraction des crises d'angoisse).

JOUR 15 Comment allez-vous aujourd'hui ?

/10

NOTEZ VOTRE HUMEUR SUR 10

Régler le passé

Une des façons les plus simples d'être heureux consiste à laisser filer les choses qui vous rendent triste, ces fils du passé qui vous retiennent. Parfois, sans le savoir, vous supportez le poids de problèmes familiaux vieux comme le monde et qui ne vous concernent plus directement. Contentez-vous des vôtres, cela suffit amplement.

Vous commencez à voir enfin un peu de positif dans votre vie, ne vous laissez pas entraîner vers le fond. Continuez maintenant les exercices avec davantage de lucidité.

Laissez passer les choses sans vous y accrocher : c'est ce qu'on nomme le lâcher-prise.

La vie ne démarre pas une fois qu'on a résolu ses ennuis, elle commence MAINTENANT.

« Rien ne dure toute la vie. Pas même vos soucis. »
ARNOLD GLASGOW

JOUR — **15** — *Les conseils de Christophe André*

Faire bon usage du passé

LE PIÈGE DU PASSÉ

Réfléchir au passé peut être important et utile : revenir sur ce que nous avons fait pour mieux comprendre le pourquoi de nos erreurs ou de nos succès peut nous apprendre beaucoup et nous aider à progresser. Mais le passé peut aussi être un piège.

D'abord parce que ce n'est pas une bonne idée de consacrer trop de temps à son passé : il y a également le présent à vivre et l'avenir à préparer !

Ensuite, parce que si on réfléchit à son passé quand on est déprimé, on s'expose à tomber dans trois pièges :

> sélectionner (involontairement, bien sûr) seulement les mauvais souvenirs et écarter les bons ;

> déformer en aggravant l'importance des problèmes du passé ;

> ruminer en boucle ces problèmes…

CONSEILS PRATIQUES

Réfléchir au passé, oui, mais le ressasser, non, surtout pas !
Pour éviter cela, voici quelques règles :

> ne jamais penser au passé trop longtemps quand on est déprimé ;

> si possible le faire par écrit : on ne peut pas ruminer par écrit, c'est trop casse-pied de réécrire les mêmes trucs négatifs sans arrêt ;

> s'il est douloureux d'évoquer le passé (notamment si vous avez vécu des événements difficiles ou traumatisants), évitez de le faire quand vous êtes seul, au moins durant la période de dépression, attendez d'être avec des proches, des amis, un thérapeute ;

> tant qu'à réfléchir au passé, toujours veiller à ce que ce soit utile, et se demander : « Qu'est-ce que je peux en tirer concrètement ? » C'est-à-dire se tourner vers le présent, vers l'usage du passé au service du présent.

LE POISON DU FATALISME

Parmi les pièges du passé, on pense souvent aux regrets. Mais le passé contient aussi un autre poison : le fatalisme ! Se répéter « c'est dans mes gènes », « c'est lié à mon éducation », « on n'échappe pas à son passé » ne va bien sûr pas nous aider.

C'est toute la question de ce qu'on appelle le déterminisme : jusqu'où sommes-nous influencés par notre passé, jusqu'où détermine-t-il notre présent et toute notre vie ? En vérité, il n'y a pas de destin en psychologie : le passé nous influence, parfois beaucoup, mais il n'écrit pas notre histoire à notre place et il ne nous oblige à rien. Il met simplement en place des automatismes, des habitudes bien ancrées, inconscientes, résistantes ; mais toujours modifiables.

Et puis n'oublions pas de penser également à tout ce que le passé nous a apporté de bon : bons souvenirs, bons moments…

JOUR 15

VOS TRAVAUX PRATIQUES

. . . .
. . . .
. . . .
. . . .
. . . .
. . . .
. . . .
. . . .

EXERCICE DU JOUR : CONSOLIDATION DU PRÉSENT

(15 MIN)

1. Asseyez-vous en tailleur ou confortablement sur une chaise, le dos droit et souple, les yeux fermés.

2. Prenez conscience de votre respiration, de ses mouvements (inspiration, expiration). Observez ce qui se passe, dans la poitrine, le ventre, le nez, la gorge. Observez les allées et venues de l'air dans votre corps (trajets, chaleur, froid). Imaginez l'air passer à travers votre corps (entrer par le nez, sortir par les pieds…).

3. Vous accueillez vos pensées, sans les juger, et vous les laissez passer. Ce n'est pas grave, c'est même normal : revenez dès que vous le pourrez à votre souffle.

4. Ne recherchez rien d'autre qu'à être là à cet instant. Pas hier, pas demain, pas même aujourd'hui, juste MAINTENANT. Restez là, sans chercher à faire quoi que ce soit.

5. REEEEEEEEESPIREZ ! PAUSE.

NOTEZ CE QUE VOUS POUVEZ TIRER COMME BÉNÉFICE DE CET EXERCICE :

. . . .
. . . .
. . . .
. . . .
. . . .

LE DEVOIR DU JOUR

Tout change. Prenez une photo du ciel depuis la fenêtre de votre salon (ou de votre chambre) à différents moments de la journée. Regardez ces photos. Voyez comme le même espace peut changer en permanence. Rien ne dure, tout se modifie. Et on ne peut pas retenir les choses. C'est la même histoire avec votre esprit ou avec les événements de la vie. Laissez donc partir votre passé.

Listez sur une feuille les moments où vous avez été le plus malheureux et lâchez-les comme les nuages qui filent dans le ciel : déchirez la feuille en mille morceaux ... Plusieurs solutions s'offrent alors à vous : mangez les bouts de papier, brûlez-les ou jetez-les tout simplement à la poubelle (on vous déconseille quand même de les manger).

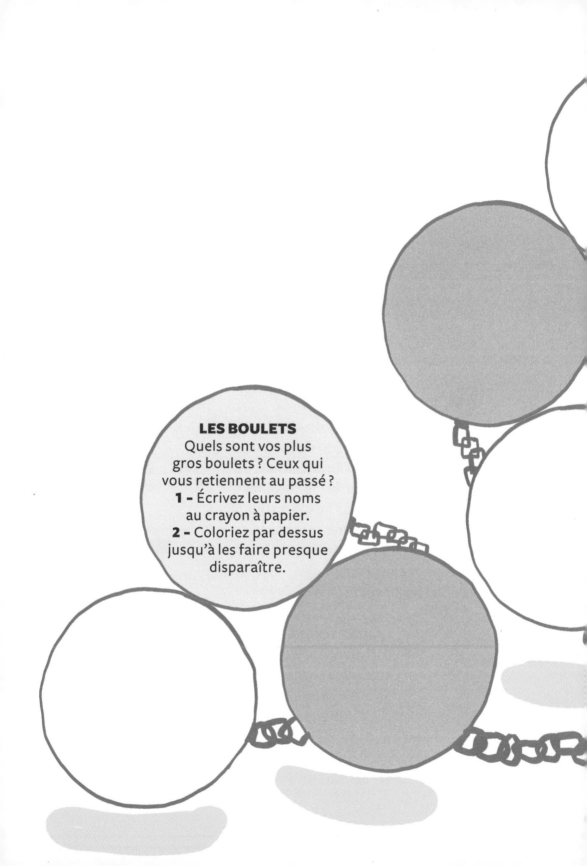

LES BOULETS
Quels sont vos plus gros boulets ? Ceux qui vous retiennent au passé ?
1 – Écrivez leurs noms au crayon à papier.
2 – Coloriez par dessus jusqu'à les faire presque disparaître.

JOUR — 16 —

Racontez
votre humeur du jour

/10

NOTEZ VOTRE HUMEUR SUR 10

Décider d'ignorer
le regard des autres

Qu'il est important ce regard, n'est-ce pas ?
On cherche sans cesse l'approbation des autres, on craint leur jugement... Ça rend fou.

La crainte de réactions hostiles est une constante des cognitions associées à l'anxiété sociale. Elle tend à nous faire percevoir nos semblables comme potentiellement agressifs (*dixit* Christophe André, svp).

On s'oublie, on se perd, on devient influençable. On fréquente les mauvaises personnes. Les gens toxiques nous attirent...

Mon meilleur conseil : restez à l'écart des personnes négatives, elles ont un problème pour chaque solution.

Après tout, les gens n'ont aucun pouvoir sur vous si vous n'avez aucune réaction à leurs commentaires...

« Influencer quelqu'un, c'est lui voler son âme.
Elle devient l'écho de la musique d'un autre. » OSCAR WILDE

JOUR —**16**— *Les conseils de Christophe André*

Ne plus craindre le regard des autres

LA DÉPRESSION RENFORCE L'ANXIÉTÉ SOCIALE

La peur du jugement négatif de la part des personnes qui nous entourent est déjà présente en temps normal chez la plupart des gens : c'est ce qu'on appelle l'« anxiété sociale ». En général, cela se manifeste sous forme de moments de trac ou de timidité et ce n'est pas trop gênant. Le reste du temps, on arrive à l'oublier.

Malheureusement, quand on est déprimé, le problème tend à s'accentuer : le regard des autres se met à prendre plus d'importance parce qu'on se sent moins à la hauteur, moins performant, moins séduisant, et qu'on se demande si les autres s'en rendent compte. On se le demande au début, puis, à la fin, on ne se pose même plus la question : on en est sûr ! Sûr que tout le monde nous juge, négativement bien sûr...

NOUS NOUS TROMPONS

Les recherches scientifiques sur la peur du jugement social dans la dépression ont montré que l'on commet alors diverses erreurs :

> On pense trop souvent que les autres nous regardent et nous jugent dès qu'ils nous croisent ; or, la plupart du temps, les autres ne font pas attention à nous. On teste cela en faisant sortir quelqu'un dans la rue avec une tache rouge peinte sur le front, bien visible. Et la majorité des gens, passants ou vendeurs, ne la remarquent

pas, aussi étrange que cela puisse paraître ! Nous ne sommes pas au centre de l'attention d'autrui…

> On pense aussi que les autres nous jugent négativement, comme nous le faisons nous-même ; or, le plus souvent, ils ne nous jugent pas, ou le font plus favorablement que nous, car ils sont moins plongés dans les détails, moins sévères, moins pessimistes, plus bienveillants que nous ne pouvons l'être avec nous-même. Plus lucides aussi !

ÉCORCHÉS VIFS

Et puis il y a le besoin d'amour ! Présent tout le temps chez tous les humains, il devient énorme quand on déprime.

Comme on est incapable de s'aimer, on devient très dépendant des marques d'approbation, d'acceptation, d'affection, et hyper sensible aux marques (réelles ou supposées) de rejet social.

Du coup, on prend vite les choses de travers (les fameuses distorsions du cerveau déprimé) : on interprète de l'indifférence pour du rejet (un commerçant qui ne dit pas bonjour), on prend la critique d'un proche comme une preuve de désamour définitif, etc.

Les études montrent aussi que les personnes déprimées ont un petit dérèglement dans la reconnaissance faciale (ce qu'ils perçoivent sur les visages des autres) : ils sont trop sensibles aux expressions de visage négatives et pas assez aux sourires et expressions positives.

Prudence donc avec nos impressions subjectives lorsque nous sommes au contact des autres : la dépression fait de nous des écorchés vifs hypersensibles lors des échanges sociaux.

JOUR — 16 —

VOS TRAVAUX PRATIQUES

. . . .
. . . .
. . . .
. . . .
. . . .
. . . .
. . . .
. . . .
. . . .
. . . .

EXERCICE DU JOUR : LUI, C'EST LUI, MOI, C'EST MOI

(15 MIN)

1. Asseyez-vous confortablement sur un coussin ou sur une chaise, les mains sur les genoux. Fermez les yeux.

2. Vous prenez conscience de votre respiration, là où elle est la plus nette ; de votre corps dans son ensemble. Puis des sons qui vous environnent.

3. Une fois installé dans votre posture, ouvrez les yeux et pensez à une réflexion qui vous a blessé, à une remarque désobligeante, à une situation marquante où le regard de l'autre vous a fait mal. Attribuez-lui une note.

4. Qu'avez-vous ressenti à ce moment-là ? Quelles ont été vos émotions, vos sensations corporelles ? Notez.

5. Qu'auriez-vous aimé répondre ? Qu'auriez-vous aimé faire ?

6. Quel bénéfice en auriez-vous tiré ?

7. Que ferez-vous la prochaine fois ?

16

NOTEZ CE QUE VOUS POUVEZ TIRER COMME BÉNÉFICE DE CET EXERCICE :

. . . .
. . . .
. . . .
. . . .
. . . .
. . . .
. . . .
. . . .
. . . .
. . . .
. . . .

LE DEVOIR DU JOUR

Habillez-vous de façon originale et sortez. Relevez la tête. Ne vous souciez pas du regard des autres. Peut-être observerez-vous qu'ils ne vous remarquent même pas.

**CHOISIR
DE S'AFFIRMER**
Voici votre vestiaire.
Coloriez les pièces
que vous choisissez
pour vous mettre
en valeur,
et n'hésitez pas :
forcez sur les
motifs !

JOUR — 17 — Comment allez-vous aujourd'hui ?

/10

NOTEZ VOTRE
HUMEUR
SUR 10

Décider de lâcher prise

Il paraît qu'il faut être patient.

Je sais que c'est dur à entendre quand on rame depuis des mois dans une situation douloureuse.

Il paraît que la solution arrivera quand vous serez prêt, au bon moment, et qu'un jour tout fera sens.

Vous en rirez, et vous comprendrez que cela avait une signification.

«Tout vient à point à qui sait attendre», disait l'autre.

OK, alors on lâche, on patiente ?

Je vous JURE que c'est vrai !

« Le lâcher-prise vient lorsque vous ne demandez plus : "Pourquoi cela m'arrive-t-il ?" Parfois, le lâcher-prise signifie cesser de comprendre de se sentir à l'aise dans le fait de ne pas savoir. Tout ce que vous acceptez entièrement vous mène à la paix, même dans l'impossibilité d'accepter, même la résistance. Laissez la vie tranquille. Laissez-la être. » ECKHART TOLLE

JOUR — **17** — *Les conseils de Christophe André*

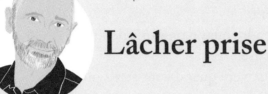

Lâcher prise

UNE OBSTINATION CARACTÉRISTIQUE

Quand on est déprimé, on commet toutes sortes d'erreurs face à l'action. Soit on est découragé d'avance et on n'entreprend rien (en culpabilisant). Soit on s'y met, mais on a tendance à s'y mettre « trop » : avec trop d'inquiétude, trop d'obstination. Et on finit par s'entêter, s'accrocher, persévérer inutilement.

Les études montrent que si l'on propose des problèmes insolubles à des personnes déprimées (sous forme de jeux de patience ou de tests de QI), elles vont s'accrocher trop longtemps pour tenter de les résoudre, là où les personnes non déprimées renoncent plus vite. Car ces dernières osent se dire : « Soit ce problème est insoluble, soit il est trop dur pour moi, en tout cas, je renonce ! » Impossible si on est déprimé ! « Il y a forcément une solution, mais je suis incapable de la trouver. Le problème vient de moi. Une fois de plus », pense la personne déprimée.

ET CONTRE-PRODUCTIVE

Cette attitude présente de nombreux inconvénients :

> D'abord la fatigue ! Il y a une usure à cause de l'obstination, classique chez les dépressifs qui s'acharnent pour trouver une solution et n'acceptent pas d'essayer puis de renoncer. Or dans la vie,

il est fréquent de devoir renoncer et lâcher prise. Bizarrement, les personnes déprimées ont autant de mal à démarrer qu'à s'arrêter…

> Ensuite, l'acharnement est souvent inutile ! Il y a des tâches, des situations où il faut laisser faire et non s'obstiner à agir. Des moments où il faut laisser une plaie cicatriser tranquillement, au lieu de la tripoter, de mettre de l'antiseptique, de la crème, des pansements sans arrêt ; on s'en occupe une fois, puis on l'oublie. De même, il faut laisser une plante pousser à son rythme : ça n'ira pas plus vite en tirant sur la tige ! Et quand on se retrouve bloqué sur une difficulté, il est souvent préférable, après plusieurs tentatives, de la laisser de côté, d'aller marcher ou de faire un truc très différent, puis d'y revenir plus tard, dans une heure, un jour, une semaine, ou jamais !

QU'EST-CE QUE LE LÂCHER-PRISE ?

Lâcher prise ne doit pas être synonyme d'impuissance désolée et culpabilisée. Lâcher prise, ce n'est pas ne rien faire : on lâche après avoir essayé de son mieux. Ça ne marche pas ? Alors on accepte de se donner de l'air, on se donne le droit de passer à autre chose.

On accepte aussi que certaines situations de vie impliquent un peu d'imperfection : on peut avoir accompli une partie de ce qu'on avait à faire, et ne plus pouvoir continuer. Dans ce cas, on se rappelle ce mantra magique : « Fais de ton mieux et n'oublie pas d'être heureux ! »

JOUR 17

VOS TRAVAUX PRATIQUES

. . . .

. . . .

. . . .

. . . .

. . . .

. . . .

. . . .

. . . .

. . . .

EXERCICE DU JOUR : FAITES FACE

(15 MIN)

1. Asseyez-vous confortablement sur un coussin ou sur une chaise, le dos droit mais et souple. Fermez les yeux.

2. Évoquez une situation qui vous pose un problème en ce moment.

3. Que provoque-t-elle en vous ? Quels sentiments ? Quelles sensations corporelles ?

4. Qu'est-ce qui vous passe par la tête lorsque vous évoquez cette situation ?

5. Laissez monter le malaise... le mal-être. Au maximum.

6. Quand vous n'en pourrez plus, dites STOP et lâchez prise.

7. Revenez à votre respiration, profonde et calme, installez le calme.

8. Repensez au problème précédent et tirez-en trois conclusions.

9. Que pensez-vous maintenant ?

NOTEZ CE QUE VOUS POUVEZ TIRER COMME BÉNÉFICE DE CET
EXERCICE :

. . . .
. . . .
. . . .
. . . .
. . . .
. . . .
. . . .
. . . .
. . . .
. . . .

LE DEVOIR DU JOUR

Entraînez-vous à lâcher prise sur des petits détails
matériels auxquels vous vous accrochez à vos dépens
et aux dépens des autres : le désordre à la maison,
les « Il faudrait », « Je dois » ». Puis passez
à tout ce qui s'agrippe à vous de façon immatérielle :
les regrets, la culpabilité, le besoin d'avoir
raison, le passé, les disparus, etc.

PROMENONS-NOUS !
Emmenez le personnage se promener dans la forêt, cueillir des fleurs, nourrir les canards avant de rentrer chez lui.

JOUR —18— Racontez
votre humeur du jour

/10
NOTEZ VOTRE
HUMEUR
SUR 10

Décider de SON bonheur

Le bonheur est *votre* choix. Pas celui des autres ou celui qu'on calcule pour vous.

Apprenez à dire non sans vous justifier car vous seul savez ce que vous aimez vraiment, ce qui vous fait du bien, ou ce que vous avez vraiment envie de faire. Fuyez ceux qui vous disent «rouge» alors que vous rêvez de «vert», même si, comme ils disent, c'est «pour ton bien».

Le bonheur est un choix.

JOUR — **18** — *Les conseils de Christophe André*

Dire non, puis dire oui

JUSTE UN PETIT PEU DE BIEN

Il est vraiment difficile, quand on est déprimé, de savoir de quoi on a vraiment envie, ce qui est vraiment bon pour nous… Comme on est perdu, comme les mécanismes des désirs et des plaisirs sont déréglés, on n'a envie de rien. Rien ne nous réjouit vraiment et totalement, ni ne nous rend pleinement heureux.

Alors il faut chercher ce qui nous fait juste un peu de bien, ou ce qui nous aide à nous sentir un peu moins mal. S'orienter vers des petits bonheurs de seconde catégorie ? Oui, peut-être, en attendant la guérison. Mais en se rappelant que c'est le meilleur chemin et la meilleure voie de rééducation pour aller de nouveau vers nos bons gros bonheurs, ceux qu'on ressentait quand on n'était pas déprimé !

DE L'UTILITÉ DE SAVOIR DIRE « NON »

Il existe un autre souci : quand on est déprimé, on est perdu et donc influençable. Notamment par notre entourage, qui (en voulant nous aider) nous pousse parfois à trop en faire, ou à faire des choses que nous n'apprécions pas.

Il est alors parfois utile de dire « non ». Non à ces bons conseils qui nous incitent à des choses qui ne nous correspondent pas, ou qu'on n'est pas capable de faire ni d'apprécier. Il est utile de se

donner le droit de dire non, mais à une condition, très importante : chercher le « oui » à dire ensuite !

Le « non » n'a d'intérêt que s'il me permet non pas de traînasser en gémissant, mais de faire quelque chose le cœur léger. Si je refuse une invitation, ce n'est pas pour passer la soirée à me gaver de chips devant la télé ou sur le Web en me disant que j'ai eu tort ! Mais pour rester chez moi, savourer une soirée à écouter mes vieux disques, regarder mes vieilles photos ou jouer aux cartes avec mes enfants.

SE MÉFIER DU « NON » VENTRILOQUE DE LA DÉPRESSION

Tout « non » doit être suivi d'un « oui » : règle inflexible pour ne pas se faire piéger par la dépression !

Car parfois, ce n'est pas moi qui dis « non » mais ma dépression ! Elle est un peu comme un parasite ventriloque qui habite à l'intérieur de moi-même et parle à ma place. Et avec elle c'est toujours « non » à tout ! Comment savoir qui dit « non », nous ou la dépression ? Peut-être en se demandant comment c'était avant : qu'aimait-on faire avant la dépression ? Et essayer de revenir vers ça, même si on n'en a pas une énorme envie sur le moment.

JOUR 18

VOS TRAVAUX PRATIQUES

EXERCICE DU JOUR : COMPLÉTEZ CE TABLEAU

	ACTUELLEMENT	DANS VOS RÊVES	EST-CE QUE JE PEUX CHANGER QUELQUE CHOSE ?
Mon travail	Je ne m'en sors pas avec le dossier Pouly	On le confie à Deschanel	Je demande de l'aide à mon assistant
Ma famille			
Mes passions			
Mes projets			
Mes futures vacances			
Ma santé			
Mes lectures			
Mes sports			

NOTEZ CE QUE VOUS POUVEZ TIRER COMME BÉNÉFICE DE CET EXERCICE :

. . . .
. . . .
. . . .
. . . .
. . . .
. . . .
. . . .
. . . .
. . . .
. . . .

LE DEVOIR DU JOUR

Dites « NON » aujourd'hui à tout
ce que VOUS n'avez pas envie de faire.
Gentiment, mais fermement, sans vous
justifier, sans vous excuser.
C'est vous qui choisissez. Mais veillez
à ne pas laisser la voix de la dépression dire
« non » et écoutez ce que vous ressentez
au fond de vous.

MON CHOIX

À PORTÉE DE MAINS
Tracez le chemin que feront vos choix pour arriver au cadeau de la vie, puis coloriez tous les éléments qu'ils vont traverser.

JOUR ❂ 19 — Comment allez-vous aujourd'hui ?

/10

NOTEZ VOTRE HUMEUR SUR 10

Décider SA vie

Souvent, on est envieux. On se dit que l'autre a mieux réussi, qu'il est mieux ou qu'il a mieux que soi. On se dit que si l'on avait fait comme l'autre, on aurait été mieux («Et si...»).

D'abord, si ça se trouve, l'autre n'est pas plus heureux que vous... si ça se trouve, même, il nous envie...

L'autre, c'est l'autre, et vous, c'est vous. C'est la seule chose dont on est sûr.

Oubliez l'autre et focalisez-vous sur vous, votre vie. Vivez la vôtre, pas celle de vos parents, de votre mari, de votre copine, la VÔTRE. Bon, je ne vous demande pas de tout plaquer pour aller chanter à Calcutta, mais commencez par stopper les concessions toxiques, bouffeuses d'énergie.

« Le plus beau jour de votre vie est celui où vous décidez que votre vie est la vôtre. Pas de culpabilité ni d'excuses. Vous ne vous appuyez sur personne, ne comptez ou blâmez personne. Ce cadeau vous est entièrement destiné – c'est un voyage incroyable – et vous seul êtes responsable de la qualité de celui-ci. C'est le jour où votre vie commence vraiment. » BOB MOAWAD

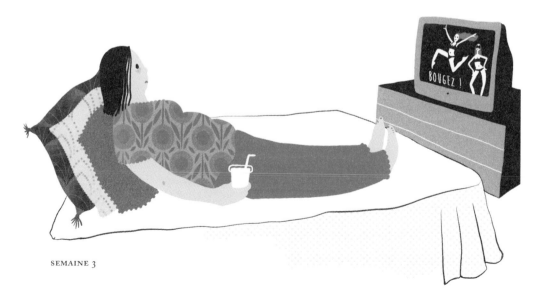

JOUR **19** *Les conseils de Christophe André*

Cesser de se comparer

LE RÉFLEXE NATUREL DE LA COMPARAISON

«L'homme est un animal social», disait le philosophe Montesquieu; la femme aussi, évidemment! C'est pourquoi il est essentiel pour nous tous d'avoir une place dans les groupes, familiaux, amicaux, professionnels, associatifs, etc. Il est très important aussi de pas être écarté de ces groupes.

C'est également la raison pour laquelle notre cerveau n'arrête pas de nous comparer aux autres: sommes-nous bien vus par eux? Sommes-nous à la hauteur (assez bien habillé, assez sympa, assez populaire, etc.)? On ne se compare pas forcément pour le plaisir mais pour se rassurer: «Oui, comparé aux autres, ça va, je reste acceptable, j'ai ma place dans ce groupe.»

Quand on n'est pas déprimé, on se compare pour vérifier que tout est OK puis on passe à autre chose.

QUAND LA COMPARAISON DEVIENT POISON

Mais quand on est déprimé, on se voit tellement négativement qu'on doute de l'intérêt pour les autres de nous garder comme collègue, ami ou conjoint. Toutes les comparaisons que nous faisons sont en notre défaveur: non, décidément, nous ne sommes pas à la hauteur, tout le monde va bientôt s'en apercevoir et, peu à peu, va se détourner de nous.

Actuellement, ces comparaisons sont encore aggravées par les mensonges que véhiculent les réseaux sociaux, où tout le monde se présente sous son meilleur profil : en beauté, avec plein d'amis, dans des fêtes endiablées ou des vacances merveilleuses. Bien sûr, on ne se présente jamais avec une tête d'enterrement, en échec, en difficulté. Mais ces images idéalisées peuvent faire croire aux personnes fragiles, comme les personnes déprimées, qu'elles sont la réalité. Toute comparaison est alors perdue d'avance.

Le problème, c'est quand les comparaisons sont trop fréquentes : de temps en temps, elles peuvent nous inciter à faire certains efforts, être une source de motivation et d'inspiration. Mais si elles sont constantes, on s'épuise inutilement.

QUE FAIRE ?

Attention donc au poison de la comparaison ! Vérifions dans quel état elle nous met :

> si elle nous donne des idées, c'est parfait, elle joue son rôle de source d'information ;
> si elle nous désole et nous dévalorise, alors elle n'est qu'un poison.

C'est notre vie que nous vivons ! Inspirons-nous des autres, prenons ce qu'il y a d'intéressant dans leurs attitudes ou façons de penser. Mais ne nous sentons pas obligés de leur ressembler. Surtout quand on est déprimé !

JOUR — 19 — VOS TRAVAUX PRATIQUES

. . . .
. . . .
. . . .
. . . .
. . . .
. . . .

EXERCICE DU JOUR : LA « OUI » THÉRAPIE

Ressentez le mot « oui » dans votre corps selon la méthode du célèbre moine bouddhiste vietnamien Thich Nhat Hanh : vous inspirez et vous ressentez quelque chose de positif ; vous expirez et vous dites « oui ». Inspirez l'énergie, expirez en disant « oui ». Inspirez le calme, expirez en disant « oui ».

1. Dites « oui » à vos besoins. « Oui » à plus d'amour, « oui » à plus de temps pour vous, « oui » à plus d'activité physique. « Oui » à moins de sucreries et « oui » à moins de ruminations. Essayez de dire « non » à ces besoins dans votre tête ou à voix haute et voyez l'effet produit. Puis dites-leur de nouveau « oui ».

2. Dites « oui » aux actes. À ce carnet que vous tenez. « Oui » à cette marche que vous allez faire. « Oui » à cette douche que vous allez prendre.

3. Observez vos « non » puis voyez ce qui se passe si vous dites « oui » à certaines des choses auxquelles vous aviez précédemment dit « non ».

4. Dites « oui » à la vie. Au fait d'être en vie. À votre propre vie. À chaque année, à chaque jour. À chaque minute.

NOTEZ CE QUE VOUS POUVEZ TIRER COMME BÉNÉFICE DE CET
EXERCICE :

. . . .
. . . .
. . . .
. . . .
. . . .
. . . .
. . . .
. . . .
. . . .
. . . .
. . . .
. . . .

LE DEVOIR DU JOUR

Débarrassez-vous de toutes les choses
que vous avez achetées pour faire
comme « l'autre » : des talons parce que
c'est la mode alors que vous détestez ça,
ce livre pour faire intello alors que vous ne
le lirez jamais… Jetez, donnez, revendez !
Allégez-vous !

ENVIE ? BESOIN ?
Cochez ce qui vous fait
envie chez les autres.

☐ de l'argent

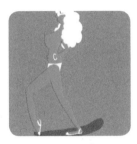
☐ un 90 D
et des fesses en acier

☐ un bon gros gâteau

☐ une belle maison

☐ le bonheur

☐ une belle voiture

☐ une demande

☐ un ami pour la vie

☐ être le meilleur

☐ un super job

☐ une pisine pour l'été

☐ un corps de rêve

ENVIE ? BESOIN ?
Entourez ce dont vous avez
VRAIMENT besoin.

☐ de l'argent

☐ un 90 D
et des fesses en acier

☐ un bon gros gâteau

☐ une belle maison

☐ le bonheur

☐ une belle voiture

☐ une demande

☐ un ami pour la vie

☐ être le meilleur

☐ un super job

☐ une pisine pour l'été

☐ un corps de rêve

Quelle conclusion en tirer :

. . . .
. . . .
. . . .
. . . .

JOUR 20 Racontez votre humeur du jour

/10

NOTEZ VOTRE HUMEUR SUR 10

Décider de vivre l'instant présent

Souvent, nous passons à côté de notre vie : nous sommes ailleurs, dans l'instant d'après (on attend, on espère, on s'impatiente, on anticipe, on s'inquiète...) ou dans l'instant d'avant (on rumine, on regrette, on ressasse...). Mais pas dans l'instant présent.

Cette inaptitude à vivre le présent plus souvent (même s'il est parfois bon d'anticiper ou de repenser au passé) est considérée aujourd'hui comme un facteur facilitant anxiété, dépression et, globalement, difficultés avec le bonheur.

(Pas mal, hein ? C'est de Christophe André parce que je ne PEUX PAS dire mieux sur ce sujet.)

« Vivez un jour à la fois. Posez votre attention sur l'instant présent. N'ayez aucune attente. Ne jugez pas. Et renoncez au besoin de savoir pourquoi les choses se passent comme elles se passent. Lâchez ! » CAROLINE MYSS

PRÉSENT
PASSÉ
FUTUR

JOUR  **20** *Les conseils de Christophe André*

Vivre au présent

Comment vivre au présent ? N'est-ce pas de l'insouciance ou de l'aveuglement ? De l'irresponsabilité ?

Non, bien sûr.

PETIT COURS D'INSTANT PRÉSENT

Vivre au présent, c'est penser régulièrement à savourer ce qui est là, le simple fait d'être en vie, de prendre une douche ou un bain chaud, de marcher parmi la nature, d'être au calme, à l'abri et d'entendre la pluie tomber…

C'est de l'intelligence de vie.

C'est quoi profiter de la vie ? Ce n'est pas sans arrêt faire des projets ou avoir des regrets, c'est aussi, de temps en temps, régulièrement, savourer ce qui est déjà là et qui est agréable. Même quand il y a, ou qu'il y aura bientôt, plein de choses désagréables à affronter tout autour de nous : on peut s'accorder un petit temps de récupération, de respiration, c'est le « refuge de l'instant présent ». On se rend présent à ce qu'on vit, à cet instant. On savoure cette respiration, pas celle d'après ni celle d'avant, celle-là. On regarde le ciel par la fenêtre. On écoute les oiseaux ou la rumeur de la ville. Sans rien chercher de particulier, juste être là, en vie.

Savez-vous ce que regrettent la plupart des humains au moment de mourir ? Ils ne regrettent pas de ne pas avoir assez travaillé, de

ne pas avoir assez fait le ménage, de ne pas avoir assez été admirés, de ne pas avoir assez gagné d'argent. Non, ils regrettent tout simplement de ne pas avoir assez vécu, de ne pas avoir assez profité de la vie : de ne pas avoir été présents à leur existence.

L'INSTANT PRÉSENT, ANTIDOTE À LA DÉPRESSION

La dépression est comme une plante qui pousserait difficilement dans l'instant présent : elle se nourrit plutôt de nos regrets et de nos inquiétudes quant à l'avenir. Dans l'immobilité et la simplicité de l'instant présent, elle a tendance à s'étioler. Vous savez ce qu'il vous reste à faire si vous voulez peu à peu que votre dépression s'étiole et se fane…

JOUR – 20 –  VOS TRAVAUX PRATIQUES

CE MATIN, CONFORTABLEMENT INSTALLÉ, PRENEZ LE TEMPS
DE NOTER CE QUE VOUS AVEZ PRÉVU DE FAIRE AUJOURD'HUI :

CE SOIR, NOTEZ CE QUE VOUS AVEZ VRAIMENT FAIT :

PARMI TOUTES CES CHOSES, LESQUELLES AVEZ-VOUS RÉALISÉES EN ÉTANT PRÉSENT ? :

. . . .
. . . .
. . . .
. . . .
. . . .

NOTEZ CE QUE VOUS POUVEZ TIRER COMME BÉNÉFICE DE CET EXERCICE :

. . . .
. . . .
. . . .
. . . .

LE DEVOIR DU JOUR

Faites une balade que vous connaissez
par cœur (pour aller au bureau, acheter du pain...)
mais, cette fois-ci, faites attention à tous les détails
que vous n'avez sans doute jamais remarqués,
comme si vous deviez réaliser un reportage
et rendre compte de chaque élément,
chaque chose rencontrée, vue, entendue.

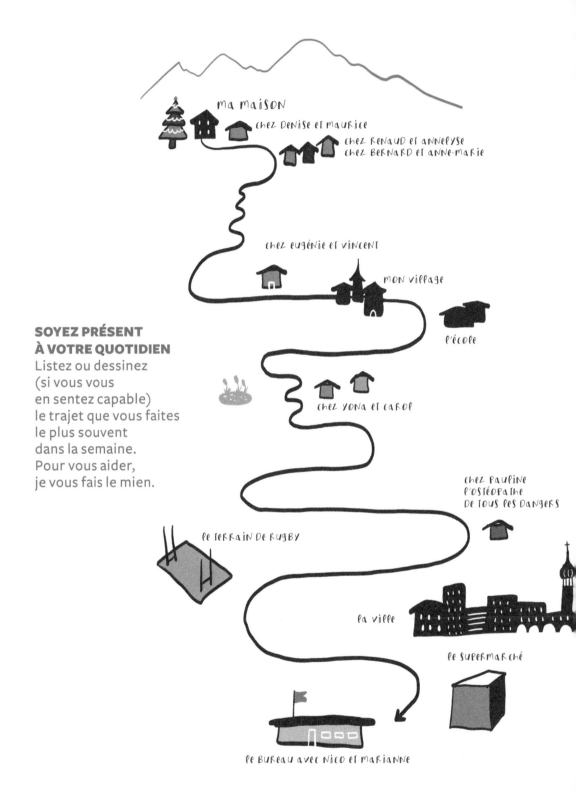

**SOYEZ PRÉSENT
À VOTRE QUOTIDIEN**
Listez ou dessinez
(si vous vous
en sentez capable)
le trajet que vous faites
le plus souvent
dans la semaine.
Pour vous aider,
je vous fais le mien.

ma maison

chez Denise et Maurice

chez Renaud et Annelyse
chez Bernard et Anne-Marie

chez Eugénie et Vincent

mon village

l'école

chez Yona et Carol

chez Pauline
l'ostéopathe
de tous les dangers

le terrain de rugby

la ville

le supermarché

le bureau avec Nico et Marianne

À VOUS !
(Si vous ne pouvez
pas dessiner, listez
juste les endroits
où vous passez,
et détaillez bien
ce que vous
pouvez y voir.)

JOUR —21— Comment allez-vous aujourd'hui ?

/10

NOTEZ VOTRE HUMEUR SUR 10

Dire MERCI

W*hat are you grateful for today?*
Faites des pauses dans la journée, remarquez les petits moments de félicité, et remerciez celle-ci, la personne qui l'a «provoquée», la vie de vous l'avoir offerte. De quoi êtes-vous reconnaissant aujourd'hui ?

Tout simplement, posez-vous cette question.

Et répondez-y !

« Un seul mot, usé, mais qui brille comme une vieille pièce de monnaie : merci ! » PABLO NERUDA

JOUR — **21** — *Les conseils de Christophe André*

Cultiver la gratitude

Tous les états d'âme positifs sont à cultiver : joie, rire, curiosité, admiration… Mais les études montrent que l'un des plus puissants, l'un des plus bénéfiques, c'est la gratitude !

QU'EST-CE QUE LA GRATITUDE ?

La gratitude est ce sentiment agréable de reconnaissance envers une personne qui nous a fait du bien. Elle relève d'un double mouvement (et donc d'un double effort) :

1. être attentif à ce qui se passe de beau ou de bon dans notre vie, même des petites choses ;

2. reconnaître à quelle personne nous devons, totalement ou en partie, de vivre ces choses agréables.

QUELQUES EXEMPLES :

> Un ami nous rend service, nous fait rire, nous passons un moment agréable ensemble. La gratitude, c'est prendre la peine de se dire, très fort dans sa tête : « Gratitude ! J'ai du bol d'avoir de tels amis ! Je leur suis très reconnaissant, je vous aime les amis ! »

> Quelqu'un nous sourit, nous tient la porte, nous aide à porter un gros paquet ? « Gratitude ! Il y a quand même plein de gens sympas sur cette terre ! Ça fait du bien de s'en rendre compte, de les croiser. Je leur souhaite plein de bonnes choses ! »

> Nous écoutons une belle musique ? « Gratitude ! C'est génial qu'il y ait des personnes capables de composer des musiques aussi chouettes, qui font tant de bien ! Je ne les connais pas, je ne les verrai jamais, mais je leur envoie plein de pensées de gratitude : merci d'exister ou d'avoir existé, merci d'avoir écrit cette musique que je savoure à cet instant ! »

À QUOI SERT LA GRATITUDE ?

Cultiver ces émotions de gratitude, ce n'est pas niaiseux et ne fait pas de vous un ravi de la crèche ! C'est comprendre que presque tout ce qui nous fait du bien nous vient, au moins en partie, d'autrui. On en prend conscience, on le reconnaît et on s'en réjouit.

Il y a beaucoup de bénéfices à travailler sa gratitude : ça fait du bien, ça rend plus malin, ça ouvre les yeux sur un tas de ressources et de bonnes choses tout autour de nous. Tout ne repose pas que sur nos épaules, nous pouvons nous appuyer un peu sur les autres !

EXERCICES PROGRESSIFS DE GRATITUDE

> **la ressentir,** s'arrêter et se formuler intérieurement les phrases de gratitude ;

> **l'exprimer en direct,** sur le moment, à la personne concernée ;

> **pour nos grands bienfaiteurs** (proches, amis, anciens professeurs d'école, et autres maîtres de vie qui nous ont appris des choses), leur écrire une lettre de gratitude ; et si possible leur envoyer !

JOUR 21  VOS TRAVAUX PRATIQUES

. . . .

. . . .

. . . .

. . . .

. . . .

. . . .

EXERCICE DU JOUR : LA GRATITUDE

(10 MIN)

1. Asseyez-vous en tailleur sur un tapis, un coussin ou bien confortablement sur une chaise. Fermez les yeux, détendez-vous.

2. Évoquez une personne importante pour vous parce qu'elle a été là, ou qu'elle est toujours là pour vous.

3. Pensez à la chance que vous avez de connaître cette personne, qu'elle soit à vos côtés ou dans votre esprit, de pouvoir simplement même l'évoquer.

4. Pensez sincèrement à quelque chose que vous souhaitez à cette personne, qui lui ferait du bien, et adressez-lui mentalement ce souhait.

5. Notez les émotions que vous ressentez alors.

6. Maintenant, écrivez-lui un petit mot de gratitude.

. . . .

. . . .

. . . .

. . . .

NOTEZ CE QUE VOUS POUVEZ TIRER COMME BÉNÉFICE DE CET EXERCICE :

. . . .
. . . .
. . . .
. . . .
. . . .
. . . .
. . . .
. . . .

LE DEVOIR DU JOUR

Remerciez les gens autour de vous tout au long de la journée, soit directement, soit en pensée, en murmurant intérieurement un mot de gratitude. Quand vous mangez un fruit ou un morceau de pain, pensez à tous ceux qui ont participé à son existence : les agriculteurs qui ont semé, cultivé, récolté ; l'eau et la lumière qui ont permis de faire pousser ces produits ; le boulanger qui a pétri ce pain, etc. Éprouvez de la gratitude pour tout ce qui vous entoure et vous fait du bien : le soleil, les étoiles, les animaux, les végétaux.

LES BIENFAITS D'UNE ACTIVITÉ PHYSIQUE

Alors voici ma constatation radicale:

le sport, y a que ça de vrai.

Alors pas forcément courir un marathon ou se mettre au rugby,
mais juste, commencer par marcher.
Marcher dans les rues, dans la forêt, dans les champs,
mettre son corps en branle, en marche, le réveiller.

Petit à petit, lui en demander un peu plus.
S'offrir plus.

Allez plus loin, plus haut, plus fort.

« Go harder* » vous dira rapidement
la petite voix des endorphines.
Et le sentiment de quiétude, de calme que l'on ressent après une séance
de sport, je vous jure que ça vaut tous les médicaments et séances psy du monde.

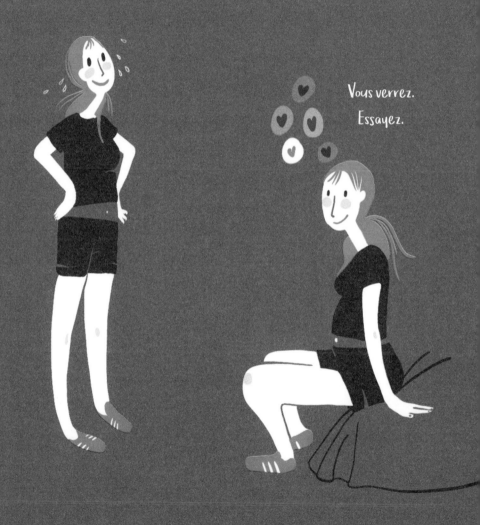

Vous verrez.

Essayez.

C'est quasi un ordre.

*Vas-y à fond

SEMAINE ④

Accepter

« Accepte ce qui est.
– Je ne peux vraiment pas.
Je suis agité et en colère à ce sujet.
– Alors, accepte ces sentiments.
– Accepter d'être impatient et en colère ?
De ne pas pouvoir accepter ?
– Oui. Mets de l'acceptation
dans ta non-acceptation.
Mets du lâcher-prise dans ta rigidité.
Puis vois ce qui se produit. »

ECKHART TOLLE

Et puis un jour, un petit mieux.

Une certaine lucidité
qui me surprend moi-même.

Une certaine envie...

Je vais mettre plusieurs jours
à m'en rendre compte...
et je l'entretiens, je l'améliore, je l'enjolive,
je la décuple.

Je ne sais pas d'où elle vient, mais je la saisis à pleines mains.

C'est fait de tout petits riens, une envie de vivre qui revient :
je me lave les cheveux, je m'habille joliement, je remange pour la première
fois depuis 15 jours, j'accepte une invitation, je dors mieux, je suis moins
fatiguée, les moments d'angoisse se font p lus rares et moins intenses...

Je respire mieux aussi.

Je deviens super assidue aux exercices de mon psy.

Cela devient un réflexe dès que les ruminations tentent de refaire surface :

JE RESPIRE.

HOP HOP HOP.

Sans me poser de questions, j'applique à la lettre les exercices.

RUMINATION   RESPIRATION

Et puis, surtout, je me mets au sport.

Le sport, c'est comme une bonne séance de méditation,

avec de la sueur en plus : on oublie tout et on en sort apaisé.

J'ai commencé par aller marcher dans la montagne, puis courir par tranches de 2 minutes (seulement, je ne pouvais pas plus), pour arriver à des sessions d'une heure, pendant lesquelles je me vide littéralement la tête, dans une espèce d'hypnose apaisante.

Finalement, j'ai osé me jeter dans ma passion, **le rugby,**
en intégrant une équipe de rugby à VII.

J'y suis toujours, depuis 5 ans,
et je sais que ce sport me tient debout,
que mes coéquipières me portent plus
qu'elles ne le pensent,
que mes coachs me poussent
dans des retranchements que je n'imaginais
même pas atteindre un jour,
et j'en ressors tellement forte !

JOUR —22— Racontez votre humeur du jour

/10
NOTEZ VOTRE
HUMEUR
SUR 10

Accepter de vivre avec

Allez, intégrez finalement le petit nuage au-dessus de nos têtes... Acceptez de vivre avec ce mal-être, cette tendance, cette particularité, cette « maladie ».

Vous n'avez pas le choix, alors acceptez.

C'est comme ça.

C'est arrivé et ça reviendra peut-être, si vous baissez la garde.

Mais ça passera.

Cohabitez.

Acceptez de ne pas tout contrôler, cela fait partie de vous, depuis longtemps peut-être, et pour longtemps peut-être.

Inspirez, expirez, tout ira bien.

Accepter ne veut pas dire se résigner.

Accepter veut dire se calmer. Continuer.

« Tant que vous n'aurez pas accepté qui vous êtes, rien de ce que vous aurez ne vous satisfera jamais. » DORIS MORTMAN

JOUR —22— *Les conseils de Christophe André*

Accepter ET agir

Accepter d'être déprimé ? Mal dans sa peau ? Et puis quoi encore !

L'acceptation dont on parle en psychologie est parfois mal comprise. Dommage, car elle est une des clés de la paix intérieure, mais aussi de la force intérieure.

ACCEPTER, ÇA VEUT DIRE QUOI ?

Accepter signifie simplement consentir au réel, toujours commencer par prendre la réalité comme elle est, avant de choisir ce qu'on veut faire : la changer, ou passer son chemin et aller mener d'autres combats.

Exemples de situations que l'on est bien obligé d'accepter : le mauvais temps, la fatigue, les mauvaises nouvelles et les ennuis. Comment faire autrement sinon reconnaître que c'est là ? Mais la dépression, la faim dans le monde, les guerres, les injustices, on accepte aussi ?

Attention, accepter ne veut pas dire approuver ni se résigner. On ne se dit pas « c'est bien », mais : « C'est là, c'est comme ça pour le moment. » On ne se dit pas « chic », mais : « Voilà, c'est le réel, je fais quoi avec ça ? »

L'acceptation n'est pas un renoncement à l'action, mais juste une étape préalable. Elle nous permet d'éviter les vaines rages, les actes

impulsifs, les gesticulations suivies d'abattements et de sentiments d'impuissance. Elle est ce qui va nous aider à nous engager dans des actions sereines et calmes.

MARCHE À SUIVRE

Besoin d'une petite marche à suivre pour s'entraîner à l'acceptation (en commençant par des situations pas trop compliqués à accepter tout de même !) ? Voici un petit monologue intérieur à faire tourner à voix haute (ou dans sa tête s'il y a trop de monde autour de nous) :

> On se décrit précisément la situation : « Qu'est-ce qui se passe exactement ? Les faits ? Et tu en penses quoi ? Ça fait quoi dans ton corps ? Ça te donne envie de quoi ? »

> On se parle gentiment : « OK, ça ne te plaît pas, c'est bien normal, mais c'est comme ça ; en tout cas pour le moment. »

> « Alors, puisque tu n'as pas de baguette magique pour tout changer d'un coup, calme-toi, respire, prends soin de toi… Respire encore… Reste dans la situation, ne cherche pas à agir pour le moment, mais juste à être là… »

> « Maintenant, vois ce que tu peux faire qui serait adapté à cet instant. S'il n'y a rien à faire, ne fais rien pour le moment. Tu y reviendras… »

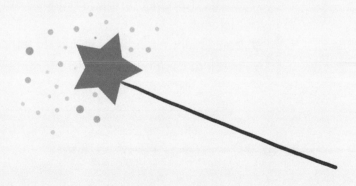

JOUR 22

VOS TRAVAUX PRATIQUES

. . . .

. . . .

. . . .

. . . .

. . . .

. . . .

. . . .

. . . .

EXERCICE DU JOUR : ALLEZ, UNE PETITE CRISE DE CALME

(5 MIN, À RÉPÉTER TOUT AU LONG DE LA JOURNÉE)

1. Assis ou allongé, vous fermez les yeux et vous videz doucement l'air de vos poumons.

2. Reprenez un peu d'air, marquez un arrêt, et expirez à nouveau, sans forcer, tranquillement.

3. Pendant tout l'exercice, vous portez votre attention sur votre poitrine, en observant ce petit moment de pause entre la fin de l'expiration et le début de l'inspiration. Ne forcez pas, laissez faire votre souffle, accompagnez-le. Au bout d'un moment, un rythme de respiration confortable s'établira tout seul.

4. Quand vous êtes relaxé/calmé, pensez à quelque chose d'agréable (un objet ou une personne) tout en continuant à respirer calmement.

5. Doucement, quand vous estimerez le moment venu, ouvrez les yeux, le plus lentement possible.

NOTEZ CE QUE VOUS POUVEZ TIRER COMME BÉNÉFICE DE CET
EXERCICE :

. . . .

. . . .

. . . .

. . . .

. . . .

. . . .

. . . .

. . . .

LE DEVOIR DU JOUR
Saluez d'une façon
amicale le « petit nuage »
dès qu'il se rappelle
à vous.

CHER PETIT NUAGE,
si tu pouvais me lire, voici ce
que j'aimerais te dire :

CHER PETIT NUAGE,
voici maintenant mon plan pour
que tu me fiches la paix :

JOUR 23 Comment allez-vous aujourd'hui ?

/10

NOTEZ VOTRE HUMEUR SUR 10

Accepter d'avoir des moments de doute

P as de pression, vous ne pouvez pas être fort 24 heures sur 24.
Parfois, vous aurez juste besoin d'être seul, de pleurer un bon coup et de redémarrer.

Parfois aussi, vous allez trébucher, douter, être tenté de glisser du côté obscur, mais vous serez attentif. Vous stopperez la machine avant même qu'elle passe en seconde. Vous êtes en effet devenu expert en exercices pratiques.

Le doute fait partie de la vie, n'en doutez pas. C'est ça, VIVRE.

« Vous aurez des mauvais moments. Mais ils sauront toujours vous éveiller aux choses auxquelles vous ne prêtiez pas attention. Lâchez ! » ROBIN WILLIAMS

SOMETHING WILL GROW FROM ALL THIS. AND IT WILL BE ME.*

* Y a un truc qui va sortir de tout ça. Et ce truc, ce sera moi.

JOUR —23— *Les conseils*
de Christophe André

Apprendre à moins douter

La dépression nous force à accepter nos limites et nos imperfections. Nos faiblesses.

En temps normal, on peut se permettre de ne pas trop penser à nos faiblesses, de se voiler la face, de regarder ailleurs… On a de l'énergie pour faire plein de choses à côté.

Mais quand on est déprimé, ces stratégies de diversion ne fonctionnent plus très bien. On doute énormément de soi, on a sans cesse le nez sur soi-même, sur ses faiblesses et ses limites.

UN DOUTE ENVAHISSANT

On a des doutes sur soi : suis-je vraiment quelqu'un de bien ? On a des doutes sur ses choix, sur les décisions à prendre. Idéalement, on aimerait ne rien avoir à décider. Et, idéalement, il est conseillé, justement, d'éviter de prendre de grandes décisions en période de dépression. Ce n'est pas le meilleur moment pour changer de conjoint, de travail, de logement !

Mais le doute ne porte pas que sur des choix importants. Il y a aussi tout un tas de petites décisions à prendre, qu'on ne peut pas toujours reporter, et à propos desquelles on doute, on doute, de manière évidemment excessive.

QUE FAIRE ?

D'abord, accepter le fait que le doute est quelque chose de normal, d'utile même, qui nous aide à ne pas faire n'importe quoi, n'importe comment.

Ensuite, se débarrasser du mythe du bon choix ! Quand on est déprimé, on a l'impression que pour toute décision il y a un bon et un mauvais choix. Et qu'il ne faut pas se tromper. Mais non ! En général, quand on doute, c'est qu'il n'y a pas de bon choix qui s'impose, et qu'il y a du bon et du mauvais des deux côtés. Ce qui veut dire qu'il n'y a pas une solution nettement supérieure à l'autre, mais deux options possibles, comme souvent dans la vie.

PETITE LISTE DE CHOSES À FAIRE SI VOUS DOUTEZ FACE À UN CHOIX :

> **faire une liste des pour et des contre** que présente chaque solution ;

> **en parler à des proches pour recueillir leur avis,** savoir ce qu'ils feraient s'ils devaient prendre une décision ;

> **si décider est trop compliqué,** reporter la décision ;

> **si la décision n'est pas trop grave et si vous hésitez,** c'est donc que les deux options ont leurs avantages. Ne vous fatiguez pas : vous pouvez tirer votre choix à pile ou face, les résultats seront aussi bons !

JOUR –23–

VOS TRAVAUX PRATIQUES

VOUS ÊTES EN PLEIN DOUTE ? PRENEZ LE TEMPS DE REMPLIR LE TABLEAU CI-DESSOUS, IL VOUS AIDERA :

DOUTES / QUESTIONS	POUR	CONTRE	CONCLUSION
Est-ce que je dois changer de coupe de cheveux ?	Ça me donnerait du style	J'ai peur que ce soit loupé	Et si je faisais confiance au coiffeur ?

23

NOTEZ CE QUE VOUS POUVEZ TIRER COMME BÉNÉFICE DE CET EXERCICE :

. . . .
. . . .
. . . .
. . . .
. . . .
. . . .
. . . .
. . . .
. . . .
. . . .
. . . .
. . . .
. . . .

LE DEVOIR DU JOUR

Prenez au moins une décision
aujourd'hui, sans en douter.

ÉVOLUONS ENSEMBLE

Dans le dessin ci-dessous, entourez la figure qui vous correspond :
êtes-vous un joli papillon ou en êtes-vous au stade de la chenille ?

1 L'ŒUF

2 LA CHENILLE

3 LA CHRYSALIDE

Coloriez
ce joli papillon.

4

VOUS

JOUR 24

Racontez votre humeur du jour

/10

NOTEZ VOTRE
HUMEUR
SUR 10

Accepter de faire le tri

Vous n'êtes ni méchant ni ingrat, c'est comme ça : certaines personnes sont toxiques et il faut vous en éloigner. Vous êtes à présent assez lucide pour remarquer ceux qui vous laissent avec un sentiment d'infériorité, de dégoût de vous-même, ceux qui vous lancent des piques, ceux qui vous jalousent et cherchent gentiment à vous faire du mal...

Laissez-les de côté, virez-les de votre vie : croyez-moi sur parole, ça fait un bien FOU ! Vous avez assez perdu de temps comme ça.

« Ne marche pas devant moi, je ne suivrai peut-être pas.
Ne marche pas derrière moi, je ne te guiderai peut-être pas.
Marche juste à côté de moi et sois mon ami. » ALBERT CAMUS

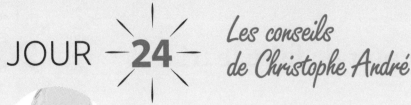

S'écarter des casse-pieds

Lorsqu'on est déprimé, on est beaucoup plus sensible que d'habitude aux moments désagréables : sensible à la météo (un ciel gris peut nous plomber le moral), sensible aux échecs et aux difficultés (qui peuvent nous démoraliser au-delà du raisonnable) et sensible aux personnes pénibles.

Les gens toxiques sont alors encore plus toxiques (et, heureusement, les gens bénéfiques et aidants encore plus bénéfiques).

QU'EST-CE QU'UNE PERSONNE TOXIQUE LORSQU'ON EST DÉPRIMÉ ?

Les gens qui nous mettent la pression, qui augmentent notre stress par leurs demandes ou leur façon d'être ; qui nous étouffent de conseils puis nous critiquent si on ne suit pas lesdits conseils ; qui ne parlent que d'eux, de leurs expériences, de leur vie, sous prétexte de nous aider...

Parfois, cela peut être aussi des personnes qui nous manipulent, nous utilisent, abusent de notre faiblesse pour s'imposer à nous, pour nous faire des demandes, nous culpabiliser.

QUE FAIRE ?

> Une première option peut être tout simplement de modifier notre mode d'emploi avec ces gens : ne plus les voir seuls mais avec d'autres personnes, pour diluer un peu leur toxicité. Ou les voir moins souvent, moins longtemps (par exemple partir en week-end mais pas en vacances, ou prendre un verre plutôt que déjeuner ou dîner) ; ne pas les voir pour bavarder mais pour faire des choses ensemble (aller au cinéma, faire du sport, des courses)…

> Une autre stratégie peut être de recadrer la relation : leur expliquer qu'on est plus vulnérable en ce moment, plus sensible, puis leur préciser clairement ce dont on a besoin, ce qu'on peut supporter, et leur demander de s'y tenir.

> Enfin, la dépression peut aussi être l'occasion d'une prise de conscience. D'une certaine façon, l'hypersensibilité aux personnes toxiques est l'un des bénéfices de la dépression. Notre fragilité nous ouvre alors les yeux sur des comportements abusifs que nous arrivions à tolérer quand nous allions bien. Et cela peut être l'occasion de prendre la décision de les fuir, de les écarter de notre vie. Mais avant cela, prendre l'avis de nos proches, pour ne pas non plus agir trop impulsivement !

Et surtout, surtout, ne pas oublier de voir aussi les gens qui nous font du bien ! Dont nous avons plus que jamais besoin. En faisant, par exemple, l'effort de recontacter les personnes agréables que nous ne prenions pas assez le temps de voir…

JOUR -24-

VOS TRAVAUX PRATIQUES

Actuellement, qui est néfaste pour vous ? Qui vous met dans un état pitoyable, plus bas que terre, ou vous rend hystérique dès que vous le (la) rencontrez ? Prenez le temps de remplir le tableau ci-dessous, il vous aidera :

QUI ?	TOXIQUE UN PEU	TOXIQUE BEAUCOUP	PRENDRE MES DISTANCES	VIRER DE MA VIE	CONSÉQUENCES POSSIBLES

NOTEZ CE QUE VOUS POUVEZ TIRER COMME BÉNÉFICE DE CET EXERCICE :

. . . .
. . . .
. . . .
. . . .
. . . .
. . . .
. . . .
. . . .
. . . .
. . . .

LE DEVOIR DU JOUR

Devinez quoi ?! Il est temps de refaire un peu de sport, de ne pas baisser le rythme. Sortez à l'air libre et marchez 10 minutes, puis faites un petit footing, à votre rythme, pendant 15 minutes, reprenez votre souffle pendant 10 minutes en trottinant ou en marchant. **N'oubliez pas que l'exercice physique est une des clés de la lutte contre la dépression.**

LE NEUTRE INDÉCIS   LE FAUX GENTIL   LE VRAI DUR   LE FOURBE

**CHOISSISSEZ
VOTRE AMI,
VOTRE ENNEMI**
en reliant le visage
choisi au corps
de la personne.

LA VRAIE COPINE

LA SOURNOISE

L'IDIOTE INTÉGRALE

LA BIENVEILLANTE

JOUR 25

Comment allez-vous aujourd'hui ?

/10

NOTEZ VOTRE
HUMEUR
SUR 10

Accepter de passer à autre chose

Se faire du souci est une totale perte de temps, ça ne change rien. Et ça ne fait que voler votre joie et vous tenir occupé à ne rien faire.

Rappelez-vous mon père : « La peur n'évite pas le danger. »

Passez à autre chose, allez ouste, du balai ! Il n'y a pas de problèmes, il n'y a que des solutions. Là où il n'y a pas de solutions, c'est qu'il n'y a pas de problèmes.

Accordez à vos soucis le temps d'un exercice ou deux de méditation, cela leur donnera un cadre, une durée d'existence. En dehors de ces exercices, n'y pensez plus, ils n'ont rien à faire dans votre vie.

« Les soucis ressemblent à des fauteuils à bascule ; ils donnent quelque chose à faire mais ne conduisent nulle part. » JOHN NEAL

JOUR 25

Les conseils de Christophe André

Respirer et laisser filer

Les bouddhistes sont doués pour cultiver la capacité à ne pas s'accrocher inutilement : ils appellent cela le « non-attachement ». Mon ami Matthieu Ricard me rapportait un jour cette phrase du dalaï-lama : « S'il y a des solutions, pas la peine de se faire du souci. Et s'il n'y a pas de solutions, pas la peine non plus ! »

LE CERVEAU N'AIME PAS L'INCERTITUDE

Pour autant, il n'est pas facile de se dire « lâche ce problème » tant qu'on ne l'a pas totalement résolu. Le cerveau humain n'aime pas l'incertitude. Donc tant qu'une difficulté n'est pas réglée, elle continue de nous tourner dans la tête.

Une des clés de la sagesse est pourtant d'apprendre peu à peu à vivre avec des problèmes non résolus dans sa vie. Et de prendre garde à ne pas transformer son existence en une suite ininterrompue de problèmes à résoudre.

Il ne faut surtout pas se dire : « Je pourrai passer à autre chose et savourer l'existence quand et seulement quand j'aurai réglé tous mes problèmes. » Ça, ça n'arrivera jamais ! Il y aura toujours un truc qui cloche : la fuite d'eau dans la salle de bains, les papiers administratifs à remplir, les soucis avec un enfant, un tracas de santé. Je ne connais aucun humain qui m'a dit un jour : « À cet instant, je n'ai plus aucun problème, je les ai tous réglés, absolument tous ! »

Une fois ce point théorique accepté, comment faire ?

RELAX !

S'apaiser ! Les études montrent que quand on a des problèmes et des difficultés à résoudre (qu'il s'agisse de trouver des solutions ou d'accepter de lâcher prise), cela se passe beaucoup mieux si nous arrivons à installer le calme en nous : les chercheurs parlent d'activer notre système nerveux dit « parasympathique », celui qui se déclenche lorsqu'on fait de la relaxation, qu'on respire calmement et profondément, ou qu'on récupère après une bonne marche ou un footing.

(Arrivé à ce stade de votre lecture, vous avez compris à quel point Caroline est une obsédée du parasympathique ! Elle a bien raison...)

JOUR 25
VOS TRAVAUX PRATIQUES

. . . .

. . . .

. . . .

. . . .

. . . .

. . . .

. . . .

. . . .

. . . .

. . . .

. . . .

. . . .

EXERCICE DU JOUR : VOICI LE CADRE D'EXPOSITION DE VOTRE SOUCI

(CELA VA DURER 10 MINUTES, ET ON N'Y PENSE PLUS)

1. Asseyez-vous en tailleur ou bien confortablement sur une chaise, les mains sur les genoux, le dos droit mais souple, les yeux fermés.

2. Faites venir en vous votre souci du jour.

3. Observez ce que vous ressentez et ce que cela provoque en vous.

4. Laissez monter ce souci et ce que cela implique. Observez comment votre corps réagit au souci.

5. Après quelques minutes, dites STOP.

6. Pratiquez ensuite une crise de calme (voir jour 2).

7. Une fois le calme revenu, que diriez-vous à un ami qui aurait ce même souci ? Que lui conseilleriez-vous ?

NOTEZ CE QUE VOUS POUVEZ TIRER COMME BÉNÉFICE DE CET
EXERCICE :

. . . .
. . . .
. . . .
. . . .
. . . .
. . . .
. . . .
. . . .

LE DEVOIR DU JOUR

Trouvez concrètement quelque chose qui cloche en
ce moment, votre costume à aller chercher au pressing,
un papier à remplir, le frigo vide, la voiture à laver,
ou le tas de linge à repasser. Regardez en face ce « souci »
concret et dites-lui : « Je m'occuperai de toi plus tard. »
Vous verrez, vous pourrez vivre avec
ce problème non résolu !

C'EST LE CADET DE VOS SOUCIS
Listez vos soucis du jour,
du plus important
au plus insignifiant.

LES TOUT PETITS
SOUCIS DE RIEN
DU TOUT

LE(S) VRAI(S)
SOUCIS

SOUCIS POUR
PLUS TARD
(QUAND JE M'ENNUIERAI)

JOUR —26— Racontez
votre humeur du jour

/10

**NOTEZ VOTRE
HUMEUR
SUR 10**

Accepter que rien n'est sûr

Oui, bon, c'est affreux, mais rien n'est jamais sûr dans la vie. Il faut l'accepter au lieu de prévoir le pire. (On prévoit rarement le meilleur, franchement!)

Ayez foi en l'avenir, soyez heureux de ce qui va arriver. Parce que c'est comme ça, on n'y peut rien : s'inquiéter ne va pas changer le cours de votre vie. Alors essayez d'y trouver un intérêt. Après tout, cela peut être excitant de ne pas savoir à quoi s'attendre, un truc génial pourrait arriver, oh là là, faites attention!

« Des fois j'ai peur d'être heureux, parce que quand je le suis,
il y a toujours quelque chose de terrible qui arrive. »
CHARLIE BROWN

JOUR 26 Les conseils de Christophe André

Savourer sans s'accrocher

CE QUE DISENT LES PHILOSOPHES

Rien n'est sûr, effectivement, et rien ne dure! Nous parlions hier de la philosophie bouddhiste. Elle propose là aussi un regard intéressant sur cette question qu'elle nomme l'«impermanence»: tout passera, tout…

Cela s'applique au malheur: contrairement à ce que nous croyons, surtout si nous sommes déprimés, il ne durera pas éternellement, et finira par passer (chic!). Tout comme cela concerne le bonheur: il ne durera pas, lui non plus, et passera également (mince!).

Le message délivré par cette philosophie de l'impermanence n'est pourtant ni dépressif ni nihiliste: il s'agit simplement de ne pas s'attacher excessivement à ce que nous ne pouvons pas contrôler et d'essayer d'habiter au mieux le réel, de vivre au mieux le présent.

Si un malheur survient: l'accepter (ce qui ne revient pas à l'approuver, souvenez-vous!) pour mieux l'affronter («Il est là, alors je fais quoi?»).

Si c'est un bonheur: l'accueillir pour mieux le savourer, sans trop se soucier de sa durée («Va-t-il disparaître?») ou de son intensité («Est-ce un vrai bonheur, un bonheur valable, ou bien est-ce qu'il y a mieux?»). Puis faire confiance à la vie…

Il n'y a pas que les événements de la vie qui nous font souffrir. Il y a aussi nos peurs excessives : peur qu'un malheur ne passe pas, peur qu'un bonheur passe trop vite.

On retrouve aussi cette vision du monde dans la philosophie stoïcienne de la Grèce antique. Épictète, par exemple, soulignait ceci : « Parmi les choses qui existent, les unes dépendent de nous, les autres ne dépendent pas de nous. » Et il encourageait à ne pas s'accrocher à ce qui ne dépend pas de nous (l'adversité qui peut nous frapper, nous ou nos proches, ne dépend pas de nous) mais à agir (nos actes dépendent de nous).

CE QUE DISENT LES SCIENTIFIQUES

Les personnes pessimistes se focalisent sur les problèmes et les dangers possibles. Elles croient mieux se préparer, pour ne pas être surprises. Mais les études montrent qu'elles ne font pas mieux que les optimistes si les problèmes surviennent.

Par exemple, dans le domaine de la santé : les optimistes écoutent et suivent mieux les messages et les conseils médicaux, parce qu'ils se disent : « Si je suis ce conseil, ça marchera. » Alors que les pessimistes, apparemment, pensent que leur comportement ne changera rien, qu'ils appliquent ou non les conseils, et que si la maladie doit arriver, elle arrivera. Du coup, les optimistes agissent davantage ! Et appliquent une philosophie de vie simple : s'il y a un souci, faire ce qu'il faut, puis lâcher l'affaire et se remettre à vivre, plutôt que continuer à scruter l'arrivée possible des problèmes…

JOUR — 26 —  VOS TRAVAUX PRATIQUES

· ·
· ·
· ·
· ·
· ·
· ·

EXERCICE DU JOUR : CONSOLIDATION DU PRÉSENT

(15 MIN)

1. Asseyez-vous en tailleur ou bien confortablement sur une chaise, les mains posées sur les genoux, le dos souple et droit. Fermez les yeux.

2. Vous prenez conscience de votre respiration, de ses mouvements (inspiration, expiration). Vous observez ce qui se passe dans la poitrine, le ventre, le nez, la gorge. Vous notez les allées et venues de l'air dans votre corps (trajets, chaleur, froideur). Vous imaginez l'air passer à travers votre corps (rentrer par le nez, sortir par les pieds, ou par où il veut...).

3. Vous accueillez vos pensées, sans les juger : laissez-les passer, comme des feuilles à la surface d'une rivière, entraînées par le flot. Si vous vous laissez entraîner par elles, ce n'est pas grave, c'est même normal : revenez dès que vous le pourrez à votre souffle...

4. Ne recherchez rien d'autre qu'à être là à cet instant. Pas hier, pas demain, pas même aujourd'hui, juste MAINTENANT. Restez là, sans chercher à faire quoi que ce soit.

5. REEEEEEEEEESPIREZ ! PAUSE.

NOTEZ CE QUE VOUS POUVEZ TIRER COMME BÉNÉFICE DE CET EXERCICE :

LE DEVOIR DU JOUR

Plantez un arbre fruitier si vous avez un jardin, un pied de tomate si vous avez un balcon, du basilic si vous n'en avez pas. Faites tout ce qu'il faut pour ce végétal, arrosez-le comme indiqué, taillez-le, prenez-en soin. Il va probablement produire des fruits ou des feuilles, au bout d'un certain temps. Mais rien n'est sûr. Vous ne pouvez pas l'obliger à le faire. Vous pouvez juste vous occuper de ce qui dépend de vous. La leçon de ce petit exercice de jardinage : il vaut mieux se concentrer sur les causes que sur les résultats, et bizarrement, quand on fait ça, on obtient mieux ce que l'on veut. Vous y penserez chaque fois que vous le verrez dans votre jardin, sur votre balcon, dans son petit pot sur votre table basse. Comme un rappel.

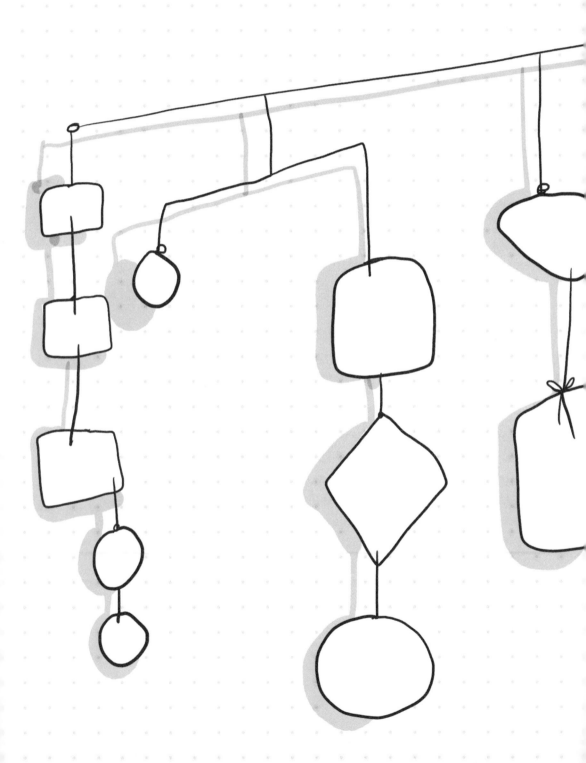

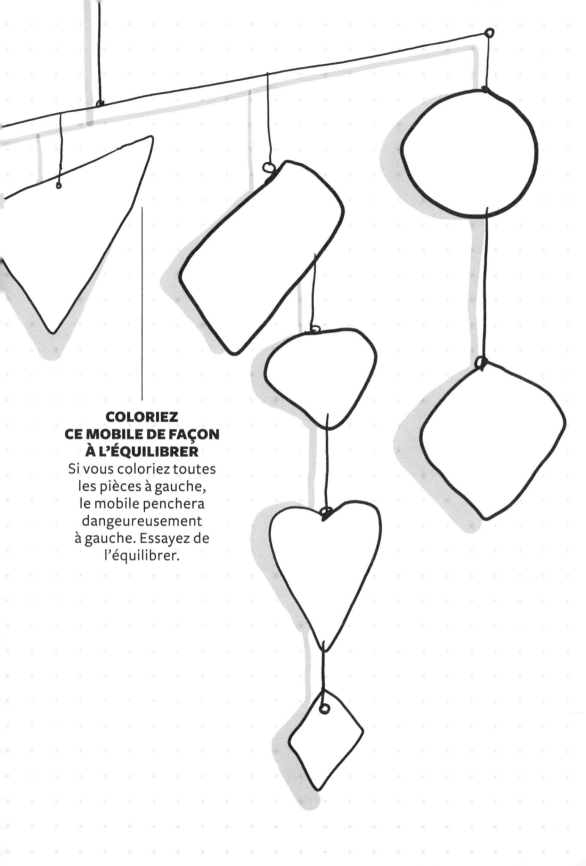

**COLORIEZ
CE MOBILE DE FAÇON
À L'ÉQUILIBRER**
Si vous coloriez toutes
les pièces à gauche,
le mobile penchera
dangeureusement
à gauche. Essayez de
l'équilibrer.

JOUR 27

Comment allez-vous aujourd'hui ?

Accepter qu'on n'est peut-être pas si nul

Bon, récapitulons ! Après des années d'autodénigrement, de mal de soi, tout ça, vous avez le droit de vous dire que vous n'êtes peut-être pas si nul que ça. Que vous valez peut-être un peu le coup : regardez, vous étiez au fond du trou il y a vingt-sept jours, et vous voilà maintenant debout !

Ce n'est pas plus facile, non, mais vous vous améliorez ! Un peu de gentillesse avec vous-même, un zeste de bienveillance, une pincée de compassion, ça ne fait pas de mal.

Et puis, objectivement, regardez-vous : y a pire, non ? (J'ai bien dit « objectivement », pas à travers vos yeux négatifs.)

« Je n'aime pas qu'on me rapporte
ce que les gens disent de moi derrière mon dos…
ça me rend prétentieux. » OSCAR WILDE

JOUR 27 *Les conseils de Christophe André*

Se respecter et s'aimer

HALTE À L'AUTOCRITIQUE ET À LA CULPABILITÉ !

De tous les symptômes de la dépression, le plus étonnant et le plus illogique est peut-être le manque de bienveillance envers soi : les personnes déprimées ont tendance à se culpabiliser, à se dévaloriser et, globalement, à se faire du mal. Toutes les études montrent la grande fréquence des attitudes dites « auto-agressives » dans la dépression : autocritiques, jugements sur soi injustes (insultes envers soi-même), punitions (on se prive de choses qu'on aime), comportements autodestructeurs (trop fumer, trop manger, trop boire)…

Ce qui aggrave, bien sûr, la tristesse et la détresse.

C'est pourquoi de nombreux programmes thérapeutiques se sont penchés, ces dernières années, sur le développement d'une attitude très importante : l'autobienveillance.

QU'EST-CE QUE L'AUTOBIENVEILLANCE ?

L'autobienveillance consiste à cultiver envers soi un comportement amical, à se vouloir du bien, à se faire du bien, à se montrer respectueux et encourageant envers soi-même. Et à se parler comme on parlerait à un ami ou à quelqu'un qu'on respecte et qu'on souhaite aider. Si cette personne est en difficulté, on ne lui

dit pas : « Tu es nul, je te l'avais bien dit, tu ne t'en sortiras pas… »
Or c'est souvent comme cela qu'on se parle lorsqu'on est déprimé.

Attention, l'autobienveillance n'est pas de l'autocomplaisance
(tout se passer, tout se pardonner) : elle n'exclut pas d'être exigeant
avec soi, sur les efforts fondamentaux, comme on le serait avec un
ami déprimé (on ne le laisserait pas, vautré dans un canapé toute
la journée, à fumer et à boire, on l'encouragerait à sortir). Ce n'est
pas non plus de l'auto-apitoiement (se dire qu'on est misérable et
malheureux) ; c'est reconnaître ses souffrances et ses difficultés à se
mettre en route, mais sans lâcher la nécessité d'agir pour s'en sortir.

QUE FAIRE ?

> Une des bases de l'autobienveillance, c'est l'acceptation de
soi : vous vous souvenez de ce que nous avons vu ensemble sur
l'acceptation ? S'accepter, ce n'est pas se réjouir de ses défauts et de
ses difficultés, mais reconnaître qu'ils sont là, sans les juger, sans
les amplifier, sans les dramatiser. En se demandant simplement :
« Que puis-je faire face à ça, maintenant, à cet instant, avec mes
moyens du moment ? »

> Puis, dans l'autobienveillance, il y a aussi cet effort à conduire,
régulièrement, pour ne pas oublier ses qualités, même si elles
semblent mises en sommeil sous la gangue dépressive, même
si elles ont du mal à s'exprimer. Elles ne sont qu'endormies, pas
anéanties !

JOUR 27

VOS TRAVAUX PRATIQUES

EXERCICE DU JOUR : NON, JE NE SUIS PAS SI NUL QUE ÇA !

COMPORTEMENT, PARTICULARITÉS	IL Y A 27 JOURS	MAINTENANT	CONCLUSION
Traverser une pièce remplie de gens inconnus.	Même pas en rêve.	Je peux le faire.	J'y arrive sans (trop) transpirer.

27

NOTEZ CE QUE VOUS POUVEZ TIRER COMME BÉNÉFICE DE CET EXERCICE :

. . . .
. . . .
. . . .
. . . .
. . . .
. . . .
. . . .

LE DEVOIR DU JOUR

Sourire peut sembler anecdotique,
voire idiot, surtout quand on est déprimé,
mais les scientifiques ont montré que ce mouvement
de notre visage, même effectué de façon volontaire,
libérerait des substances positives dans notre cerveau
(dopamine et endorphines). Faites donc une liste
de ce qui vous fait sourire et consultez cette
liste plusieurs fois par jour. Souriez ! Et si vous
êtes entouré, vous verrez que l'effet
est contagieux !

VOICI UN PODIUM
il y a 27 jours, où vous seriez-vous situé ?

☐ là

ou peut-être ici ?
☐

☐ ici

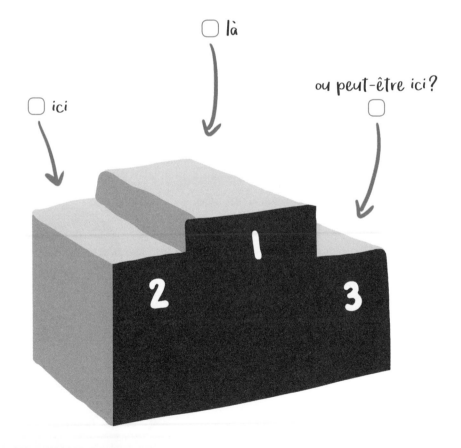

JOUR 28 Racontez votre humeur du jour

/10

NOTEZ VOTRE
HUMEUR
SUR 10

Accepter de croire en la vie  28

Oui, il faut du courage pour faire confiance à la vie. Mais le bonheur n'a jamais créé le malheur, on a le droit non négociable d'être heureux.

La roue tourne.

Toujours.

Faites-lui confiance. Patientez. Lâchez prise...

« La sagesse, c'est d'avoir des rêves suffisamment grands pour ne pas les perdre de vue lorsqu'on les poursuit. » OSCAR WILDE

JOUR 28 — Les conseils de Christophe André

Sourire en s'endormant

QUE NOUS APPREND LA DÉPRESSION ?

Les « leçons » de la dépression ? Cela semble étrange de parler de leçons, mais il y en a tout de même. Une fois qu'on s'en est sorti, on peut mieux les tirer… La maladie dépressive dissipe un certain nombre de nos illusions, notamment celle-ci : nous ne sommes ni Superwoman ni Superman. Nous sommes vulnérables, pas aussi forts que nous le pensions avant la dépression, face aux difficultés et à l'adversité. Mais plus forts que nous le croyions pendant la dépression.

Toucher le fond, vivre handicapé et limité pendant plusieurs semaines, plusieurs mois, nous oblige bien sûr à accepter que nous avons des limites, des faiblesses. Et alors ? Qui n'en a pas ? La dépression nous contraint aussi à renoncer à certaines illusions dangereuses : croire que je peux faire face à tout. Et à ouvrir les yeux sur certaines évidences : j'ai besoin des autres, de leur aide, de leur soutien, de leur affection.

Enfin, la dépression nous apprend à faire confiance à la vie. Avant une dépression, on a souvent le sentiment que tout dépend de nous : on est souvent dans une sorte d'hypercontrôle de nos existences. Cette illusion vole en éclats avec la dépression. Et on comprend mieux comment ça marche, la vie !

LES ARCHERS DE LA VIE

On comprend mieux que nous sommes comme des archers qui nous efforçons d'atteindre une cible. Il y a ce qui dépend de nous : bien nous concentrer, nous appliquer à respirer calmement, à tendre notre arc sans crisper nos muscles, à ne pas laisser nos pensées se crisper elles non plus sur l'obligation d'atteindre le cœur de la cible… Et ce qui ne dépend pas de nous : un bruit imprévu peut nous faire sursauter, un coup de vent peut dévier notre flèche, un battement de cœur faire trembler notre main, une poussière gêner notre regard…

Nous faisons de notre mieux, puis la vie décide.

En fait, si l'on regarde bien, la vie n'est pas mauvaise fille : bien souvent, des problèmes que nous pensions insolubles se résolvent, des conflits s'apaisent, des chances surviennent. En relais de nos efforts, beaucoup de bonnes choses peuvent se produire, beaucoup de ressources existent en dehors de nous.

Nous pouvons avoir confiance : en nous, les autres, demain, le monde…

Nous pouvons sourire, en nous éveillant, en nous endormant, même sans savoir comment tout cela va finir, même sans avoir la solution, à cet instant. Sourire, comme ça, simplement parce que nous sommes vivants. Et que nous avons encore beaucoup, beaucoup de belles choses à vivre, de beaux moments à traverser et à partager.

JOUR 28

VOS TRAVAUX PRATIQUES

. . . .
. . . .
. . . .
. . . .
. . . .
. . . .
. . . .
. . . .

LÂCHONS PRISE

(TOUTE LA VIE !)

Le lâcher-prise des peurs et des émotions qui font mal est le travail de toute une vie. Voici quelques trucs pratiques pour le ressentir concrètement :

Dans votre corps

> Vous vous installez confortablement, assis ou allongé.

> Vous imaginez que les émotions s'écoulent de vous, comme de l'eau.

Dans votre cœur

> Écrivez une lettre dans laquelle vous confiez ces peurs et ces émotions, et rangez-la dans un endroit secret.

> Confiez-vous à un ami.

> Accueillez les choses agréables sans vous accrocher à elles ; accueillez les choses désagréables sans leur résister ; et les choses neutres sans vouloir les rendre agréables.

> Lâchez celui ou celle que vous étiez. Acceptez de changer.

NOTEZ CE QUE VOUS POUVEZ TIRER COMME BÉNÉFICE DE CET EXERCICE :

. . . .
. . . .
. . . .
. . . .
. . . .
. . . .
. . . .

LE DEVOIR DU JOUR

Cela fait un mois que vous avez commencé à aller mieux. Fêtez cela avec des amis autour d'un déjeuner ou d'une pause au café du coin... Parlez-leur, parlez-vous, ayez confiance.

N'hésitez pas à repiocher des exercices si nécessaire, à consolider vos acquis, à revenir ici noter des sensations, des émotions, quitte à acheter un carnet vierge et à le remplir. Coucher ses maux sur le papier aide souvent à s'en libérer un peu... et surtout, ayez confiance en la vie, ayez confiance en vous !

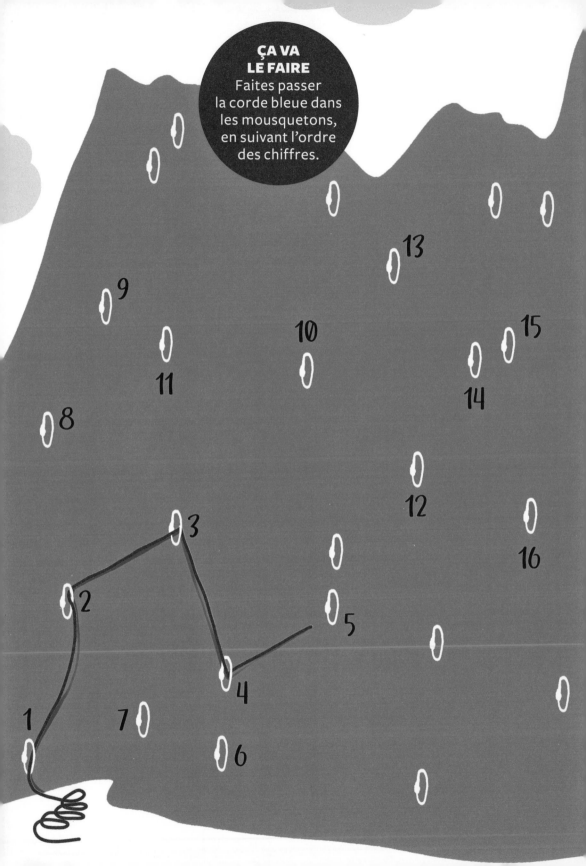

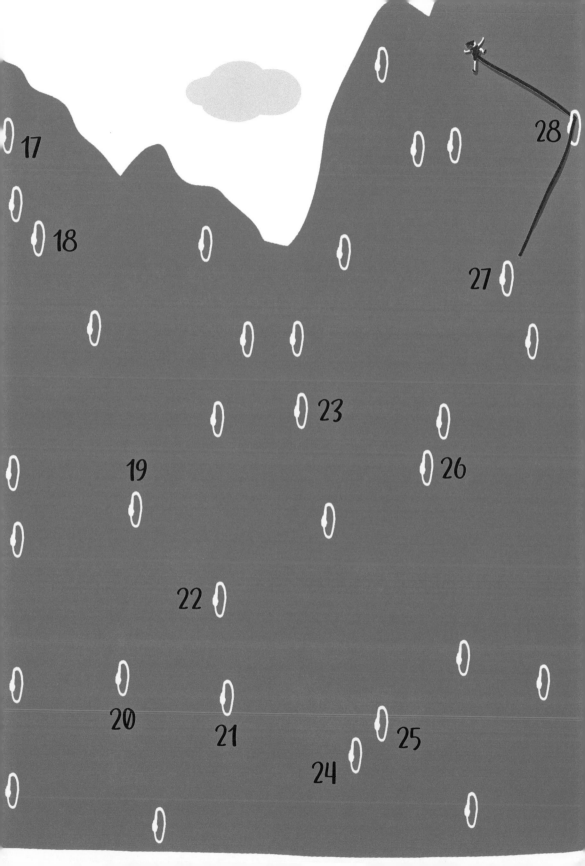

Fin de la quatrième semaine.
28 JOURS. Déjà.

Vous en avez fait du chemin tout de même, non ?
La route est encore longue pour certains, le sommet est proche
pour d'autres, mais tous, nous devrons garder en tête ces épreuves,
ces exercices, les répéter inlassablement, ne jamais oublier.

Ces 2 éléments vous sont désormais indispensables :

les exercices

le sport

Ces deux là, un peu moins, mais personnellement,
je m'en sers toujours !

le psy

les
médicaments

Au revoir

par Christophe André

Caroline et moi espérons vous avoir aidé à repasser la marche avant : rien de pire que de se sentir à l'arrêt, englué dans les sables mouvants de la dépression. Tous les petits et grands efforts que nous vous avons demandé d'accomplir chaque jour n'avaient pas d'autre but : vous remettre en mouvement. Le mouvement c'est la vie. Et la vie c'est si bon…

Tout n'est peut-être pas réglé, tout n'est peut-être pas fini, mais ce que les anciens psychiatres nommaient l'« élan vital » – l'envie de vivre, la curiosité d'exister, l'énergie pour se lever le matin – est sans doute revenu en vous, ou est en train de revenir.

Des leçons à tirer de tout ça ? Bien sûr, il y en a, nous en avons parlé. La dépression est toujours quelque chose de subi, jamais choisi, évidemment. Mais ce détour imposé, douloureux, peut nous apprendre des tas de choses, une fois qu'on s'en est sorti. C'est comme une épreuve tombée du ciel, non pas une plume mais une enclume, et qui pourtant nous ouvre les yeux : sur nos limites, sur nos ressources, sur le fait que la vie est belle, vraiment, quand on a le cerveau libéré des griffes de la déprime et de l'anxiété.

Tout ce que vous avez accompli dans ce programme est indispensable lorsqu'on est déprimé. Obligatoire, même si l'on prend des médicaments. Pas le choix, sinon on ne s'en sort pas, ou moins bien. Mais ce programme est aussi très précieux lorsqu'on n'est pas déprimé. Continuer de le pratiquer (marche, gratitude, recul sur ses pensées, méditation, amis, etc.) est un bon moyen pour continuer d'aller bien, et pour avoir un rôle actif dans ce que les psychiatres appellent la « prévention de la rechute ». Alors, relisez de temps en temps nos conseils, et vos notes.

Prenez soin de vous (personne ne peut le faire à votre place), ne vous faites jamais jamais de mal (la vie s'en charge toute seule), et, comme disent mes filles, YOLO ! *You Only Live Once !* On ne vit qu'une fois ! Et c'est maintenant !

On vous embrasse et on vous souhaite plein de petits et de grands bonheurs à venir.

Sortir d'une dépression, c'est...

la vie qui revient !

Réussir à se lever le matin !

↓ délicieux !

Être un putain de survivant !

Ces petites vagues de bonheur qui vous submergent à nouveau

CRAINDRE LA RECHUTE ...

MANGER

Relativiser un peu plus la vie

Avoir envie d'en profiter un max !

L'AMOUR

DORMIR (tranquillement)

l'énergie à fond

Et pour vous ?

Et puis un jour, on s'en fout.

L'EXEMPLAIRE QUE VOUS TENEZ ENTRE LES MAINS A ÉTÉ RENDU POSSIBLE
GRÂCE AU TRAVAIL DE TOUTE UNE ÉQUIPE.

COUVERTURE ET CONCEPTION GRAPHIQUE : Sara Deux
MISE EN PAGE : Françoise Maurel
RÉVISION : Nathalie Capiez et Marie Sanson
FABRICATION : Maude Sapin

COMMERCIAL : Pierre Bottura
PRESSE/COMMUNICATION : Karine Vincent
RELATIONS LIBRAIRES : Marie Labonne

DIFFUSION : Élise Lacaze (Rue Jacob diffusion), Katia Berry (grand Sud-Est),
François-Marie Bironneau (Nord et Est), Charlotte Jeunesse (Paris et région parisienne),
Christelle Guilleminot (grand Sud-Ouest), Laure Sagot (grand Ouest), Diane Maretheu
(coordination) et Charlotte Knibiehly (ventes directes), avec Christine Lagarde (Pro Livre),
Béatrice Cousin et Laurence Demurger (équipe Enseignes), Fabienne Audinet (LDS),
Bernadette Gildemyn et Richard Van Overbroeck (Belgique),
Nathalie Laroche et Alodie Auderset (Suisse), Kimly Ear (Grand Export)

DISTRIBUTION : Hachette

DROITS FRANCE ET JURIDIQUE : Geoffroy Fauchier-Magnan
DROITS ÉTRANGERS : Sophie Langlais
ENVOIS AUX JOURNALISTES ET LIBRAIRES : Patrick Darchy
LIBRAIRIE DU 27 RUE JACOB : Laurence Zarra
ANIMATION DU 27 RUE JACOB : Perrine Daubas
COMPTABILITÉ ET DROITS D'AUTEUR : Christelle Lemonnier,
Camille Breynaert et Christine Blaise
SERVICES GÉNÉRAUX : Isadora Monteiro Dos Reis

Achevé d'imprimer en Slovénie par Leporello en août 2018.

ISBN : 979-10-95438-66-3
Dépôt légal : septembre 2018